D0228043

INITIATION AU DROIT

INITIATION AU DROIT

TROISIEME EDITION
SIMPLIFIEE ET MISE A JOUR

par Me HENRI KÉLADA, B.A., LL.L., avocat
Diplôme d'Études supérieures en droit public
Diplôme d'Études supérieures en droit international
Candidat au doctorat en droit (Université Laval)

préface de
l'Hon. juge Guy Guérin
Cour des sessions de la paix
Professeur aux facultés de droit
de l'Université de Montréal
et de l'Université de Sherbrooke

3785 CÔTE DE LIESSE, MONTREAL H4N 2N5, (514) 747-4423

Du même auteur, aux Éditions Aquila Limitée :

Le Locataire et son nouveau bail (*avec Me Paul-Émile Marchand*)
Je Divorce
Les Délits sexuels
Conflits de lois

au Centre éducatif et culturel Inc. :
Précis de Droit québécois

Dépôt légal 2e trimestre 1977, Bibliothèque nationale du Québec
et Bibliothèque nationale du Canada

ISBN 0-88510-047-6

Composition typographique, impression et reliure réalisées au
Canada pour les Éditions Aquila Limitée, Montréal

TABLE DES MATIÈRES

ABRÉVIATIONS

A.A.N.B.	British North America Act (Acte de l'Amérique du Nord britannique)
Art.	Article
B.R.	Cour du banc de la Reine ou du Roi
c.	Chapitre
C.A.	Cour d'appel
C.C.	Code civil
C.Cr.	Code criminel
Ch. de D.	Cahiers de droit de l'Université Laval
C.P.C.	Code de procédure civile
C.S.	Cour supérieure
C.T.	Code du travail
L.C.	Loi sur les lettres de change
L.Q.	Lois du Québec
R. du B.	Revue du Barreau
R.D.T.	Revue du travail
R.L.	Revue légale
R. du N.	Revue du notariat
S.R.C. ou S.C.	Statuts révisés du Canada
S.R.Q.	Statuts refondus du Québec

Les numéros d'articles cités sans référence à une loi donnée sont des articles du Code civil.

PREFACE

Le XXe siècle, dominé par ses techniciens et ses scientifiques, métamorphosé par l'essor rapide des télécommunications et des recherches spatiales, aura bouleversé notre civilisation technique et culturelle d'une manière aussi profonde qu'imprévue. D'où risque de désordre, voire d'anarchie.

Là où la technique a passé, le droit doit intervenir pour discipliner et ordonner en fonction du bien commun. Au scientifique de trouver les solutions concrètes; au juriste — généraliste par définition — de les coordonner. Par là, lui seul peut donner aux faits leur véritable dimension sociale. Toujours préoccupé de ces nouvelles données de fait, le droit a cependant fatalement épousé certaines de leurs complexités.

Peut-on encore souscrire au mot de Jean Domat, éminent jurisconsulte de l'Ancien Droit, confident de Pascal : "Il paraît bien étrange que les Lois civiles,dont l'usage est si nécessaire, soient si peu connues ... et que l'étude,qui devrait en être facile et agréable, soit si difficile et si épineuse"? Lois d'usage nécessaire et pourtant si peu connues, soit! Mais étude difficile, pour cause!

Me Henri Kélada, servi par une connaissance profonde de son sujet et par une vaste expérience de professeur, apporte ici aux étudiants du Secondaire un instrument qui, suivant le vœu de Domat, rendra l'étude du droit moins "difficile" et "épineuse".

Le propre du talent est de se renouveler. À un public plus averti, l'auteur avait déjà livré, l'an dernier, son *Précis de droit québécois* [1]. Le présent ouvrage en diffère et par le fond et par la forme.

Par le fond, il tient compte d'abord du programme du ministère de l'Éducation. Plus vaste dans le choix des thèmes, plus concis dans l'étude de nos diverses institutions juridiques, il réussit à brosser une admirable synthèse de notre droit. Nos nouvelles institutions y trouvent leur part : la copropriété des immeubles, le nouveau régime légal de la société d'acquêts ... Il commente même au passage plusieurs de nos lois dites statutaires : loi sur les petits prêts, code de la route, loi de l'admission à l'étude de professions, loi pour favoriser la conciliation entre locataires et propriétaires, loi de l'indemnisation des victimes d'accidents d'automobile, etc. Même le droit pénal reçoit la sollicitude de l'auteur.

(1) Centre éducatif et culturel Inc., 1973.

Mais c'est par la forme surtout que ce volume marque une évolution importante dans la didactique du droit. Novateur hardi, l'auteur, par sa pédagogie, réussit la symbiose de la théorie et de la pratique, de l'art et de la science, suivant le souhait des frères Mazeaud[1]. Au début de chaque leçon, il saisit l'attention de son lecteur par une problématique qui trouve des éléments de solution dans les pages subséquentes, en nécessaire corrélation. Bien plus, il réussit à introduire ici, dans le respect d'un droit codifié, la méthode des cas, qui projette l'étudiant de l'étude théorique à la vie même du droit. Sa pédagogie réconcilie deux méthodes d'enseignement jusqu'ici en constante opposition, l'une mettant l'accent sur la théorie, l'autre sur la pratique, "combat d'infirmes", suivant l'expression des jurisconsultes Mazeaud[2].

Pédagogue averti, Me Kélada agrémente son texte d'exemples abondants et surtout de tableaux de synthèse dont les étudiants lui sauront gré.

Cet ouvrage — c'est ma conviction profonde — marque une étape importante dans l'enseignement de ce droit que "nul n'est censé ignorer". Me Kélada s'est acquis un nouveau titre à notre reconnaissance et à nos félicitations.

GUY GUÉRIN
Juge à la Cour des sessions de la Paix
Professeur aux facultés de droit
de l'Université de Montréal et de
l'Université de Sherbrooke

(1) Mazeaud et Mazeaud, *Leçons de droit civil,* Éditions Montchrétien, 1955, t. 1, n° 18, page 32.

(2) *Ibid.,* page 35.

Ubi societas, ibi jus

AVANT-PROPOS

Sept ans se sont écoulés depuis la première édition de ce manuel. Les réalités socio-juridiques d'une part et les expériences pédagogiques d'autre part, nous ont incité à procéder à une révision de ce modeste ouvrage.

Le temps n'est plus où l'enseignement des connaissances juridiques était réservé à une classe privilégiée de citoyens. Mais, s'il a été introduit voici déjà plusieurs années dans l'enseignement secondaire, il ne touchait jusqu'ici que les élèves de l'enseignement professionnel commercial. Les autres élèves se trouvaient ainsi privés d'une initiation élémentaire au droit, initiation qui devrait pourtant être le lot de tout citoyen éclairé; droit et civisme ne pouvant se concevoir indépendamment l'un de l'autre. Tenter de combler cette lacune, telle a été l'ambition modeste de ce manuel.

Ce livre se propose de favoriser chez l'étudiant une meilleure connaissance des bases juridiques qui assurent le bon fonctionnement de la société dans laquelle il vit. L'étudiant d'aujourd'hui est le justiciable de demain. Il ne connaîtra jamais trop tôt la situation conflictuelle dans laquelle nous vivons tous. Être conscient de ses droits et de ses obligations sera pour lui un atout précieux.

Certes, le souci de simplification nous a empêché d'analyser en profondeur certains concepts juridiques. L'ouvrage contient cependant toute l'information de base nécessaire à un cours d'initiation au droit. Nous espérons que le tandem professeur-étudiants pourra en faire la source d'un dynamisme enrichissant.

Rappelons-nous que pour être celui qu'on ne leurre pas et dont on n'asservit ni l'énergie ni l'intelligence, il faut détenir la connaissance et ne pas craindre l'action.

La présente édition, la troisième, se veut à la fois une simplification et une mise à jour de la précédente. L'abolition de la septième année dans notre système scolaire s'est traduite par un rajeunissement de la clientèle estudiantine. Il a donc fallu tenir compte de ce phénomène dans la présentation de la matière. La problématique et les cas de jurisprudence ont, pour cette raison, été éliminés. L'enseignant pourra toujours, s'il le juge à propos, recourir à cette approche souvent fructueuse.

Par ailleurs, le droit est une science dynamique : l'évolution constante et complexe des lois nous a obligé à emboîter le pas en mettant l'accent sur les orientations nouvelles du législateur. Qu'il nous suffise de mentionner certaines réformes radicales dictées par des considérations de justice sociale : le droit du consommateur, du locataire, l'aide juridique, la Cour des petites créances; dictées aussi par un souci de consacrer le respect de l'individu : la Charte des droits de la personne, l'indemnisation des victimes d'actes criminels, l'inaliénabilité du corps humain. . .

Nous avons, ici et là, rapporté des cas de jurisprudence afin de sensibiliser l'étudiant à l'importance que revêt une décision judiciaire quant à l'interprétation d'un mot, d'une phrase ou de toute une disposition de loi. Nous avons tu les noms des parties, mais nous avons cité à la fin de chaque cas, la référence officielle qui permettra à qui voudra consulter le jugement de le retracer.

Un cas de jurisprudence cité ne signifie pas qu'il rappelle des notions déjà exposées dans le chapitre. Il peut s'y agir de notions nouvelles que nous avons voulu justement introduire par l'étude d'un jugement en particulier. Ainsi, par exemple, en traitant des effets de commerce, au chapitre 10, nous n'avons pas parlé de la prescription des effets de commerce. En revanche, nous avons introduit cette notion (de la prescription des effets de commerce) à l'occasion d'un jugement de la Cour d'appel que nous avons rapporté.

Nous ne saurions, enfin, passer sous silence la précieuse collaboration de M. Jacques Déom, directeur-adjoint du service de l'information du ministère de la Justice, qui a bien voulu mettre à notre disposition une abondante documentation. Sa foi dans le tandem justice-éducation vient de faire sa preuve une fois de plus.

Nous tenons également à remercier Me Nabil Kamel-Toueg, professeur d'initiation au droit et de procédures juridiques, qui nous a fait bénéficier de son expérience pédagogique et de ses commentaires judicieux, expression de sa connaissance profonde du monde étudiant.

Quant à l'Honorable juge Guy Guérin, dont l'inlassable bienveillance a été pour nous un constant soutien, qui, avec une générosité et une humanité sans égales, nous a si souvent éclairé de ses avis et de ses conseils, nous ne savons mieux lui marquer notre profonde gratitude qu'en affirmant bien haut notre dette à son égard, pour autant que ce travail, en rendant quelque service, se mérite son estime.

Henri Kélada
Février 1977

Chapitre premier

Qu'est-ce que le droit?

Socrate a dit que l'homme est un animal social. En effet, l'homme ne peut vivre qu'en société. Cette vie sociale exige de l'homme le respect de certaines règles qui sont imposées pour permettre une vie sociale harmonieuse. L'ensemble de ces règles générales et obligatoires prend le nom de droit.

LES BRANCHES ET SOURCES DU DROIT

Le droit est soit national ou interne, soit international. Il se divise en deux grandes branches : le droit privé et le droit public.

Le droit *privé* régit les rapports des individus entre eux tandis que le droit *public* organise les institutions publiques et leurs rapports avec les particuliers.

Le droit privé. Ses principales ramifications sont :

Le droit civil qui régit, en général, les actes les plus courants de la vie quotidienne. C'est le *droit commun* auquel sont soumis les rapports entre les individus, à moins d'une législation spéciale.

Le droit commercial qui s'applique à un champ plus restreint de rapports privés, celui des commerçants et des actes de commerce.

Le droit public. Il comprend notamment :

Le droit constitutionnel : ensemble des règles qui déterminent l'organisation des institutions politiques de l'État. C'est la loi suprême de l'État, sa constitution.

Les lois constitutionnelles ont pour objet la forme de l'État (fédération ou union, monarchie ou république), les rapports entre les pouvoirs législatif, judiciaire et exécutif ... En somme, tout ce qui a trait à la vie politique de l'État.

Le droit administratif qui régit le fonctionnement du pouvoir exécutif, à tous les degrés, organise les services publics (la fonction publique, l'administration des biens publics, les services d'utilité publique, la voirie, l'assistance sociale, etc.) et règle leurs rapports avec les particuliers.

Le droit municipal est une branche du droit administratif.

Le droit criminel, ou droit pénal, qui traite de la prohibition de certains faits et actes et prévoit les sanctions et peines à infliger au coupable. Ce droit comprend également toutes les règles de procédure devant les tribunaux de juridiction criminelle (arrestation, enquête préliminaire, choix du procès, jury, *habeas corpus*, etc.).

La législation financière qui était, à l'origine, une branche du droit administratif. Elle s'en est séparée en raison de son importance grandissante et de sa technicalité. La législation financière traite des finances publiques (emprunts publics, subventions, budget de l'État, etc.).

Le droit fiscal est une branche spécialisée de la législation financière.

La procédure civile qui règle la marche des procès devant les tribunaux de juridiction civile. La procédure est une branche du droit public parce qu'elle est l'exercice de la fonction juridictionnelle et que la justice est publique, rendue par des magistrats investis par l'État d'une autorité publique.

Le droit international public. Il réglemente les rapports entre les États et se subdivise en plusieurs branches :

Le droit constitutionnel international a pour objet l'organisation internationale des États — délimitation de la souveraineté sur les territoires et les eaux territoriales (frontières), sur les personnes (nationalité), — la représentation diplomatique, les traités et alliances, les organisations gouvernementales internationales, les Nations unies, les institutions spécialisées, etc.

Le droit administratif international organise le fonctionnement des services publics internationaux : postes, santé, travail, propriété industrielle, etc.

Le droit pénal international a pour objet la répression du crime à l'échelle internationale.

L'extradition, par exemple, consiste en la remise d'un criminel à l'autorité étrangère qui le réclame. Un criminel en fuite peut, dans certains cas, être arrêté et remis aux autorités du pays où le crime a été commis.

Le droit judiciaire international. Non organisé, il prend la forme d'un tribunal *ad hoc* d'arbitrage, constitué pour décider d'un litige international. Organisé, il réglemente les tribunaux internationaux permanents.

Les modes d'expression du droit, les instruments de son élaboration et de son interprétation, constituent les sources du droit. Ce sont : la loi, la coutume, la jurisprudence et la doctrine.

La loi est un acte législatif qui exprime la volonté collective d'ériger en règle certaines modalités du comportement humain. Dans son sens large, la loi embrasse également les *décrets* ou *arrêtés en conseil* émanant du Conseil exécutif de la Province et les *règlements* adoptés par les villes et les municipalités dans les limites de leur territoire.

Application de la loi dans l'espace. La loi est territoriale, c'est-à-dire qu'elle s'applique, en principe, sur le territoire national. On ne saurait, par exemple, appliquer le Code québécois de la route à la circulation dans les rues de New York.

Application de la loi dans le temps. La loi s'applique à partir de la date de son entrée en vigueur. Elle n'a pas, en principe, d'effet rétroactif. C'est le principe *tempus regit actum* : c'est la loi en vigueur au jour où l'acte est passé qui sera compétente.

Aspect formel de la loi. Tout comme la loi anglaise, la loi québécoise se présente sous un titre qui indique son objet. La citation de la loi se fait comme suit : on commence par indiquer la session parlementaire au cours de laquelle la loi a été votée. On lira, par exemple, "15-16 Elizabeth II, chap. 73 — Loi de l'assurance-dépôt du Québec" : il s'agit de la loi ayant pour objet l'assurance-dépôt, votée au cours de la session correspondant à la 15e et 16e année du règne d'Elizabeth II. Suit le chapitre numéroté de la loi; ici, le chapitre 73 (cette loi a été sanctionnée le 29 juin 1967).

Une codification législative est effectuée lorsque le besoin s'en fait sentir. On parlera alors de "statuts (lois) révisés ou refondus" : on lira S.R.C. pour la refonte des lois canadiennes et S.R.Q. pour celle des lois québécoises. La dernière refonte québécoise date de 1964. On citera, par exemple : Loi de l'impôt sur le revenu (S.R.Q., 1964, chap. 71).

Entrée en vigueur de la loi. Au Québec, la loi entre en vigueur le jour de son sanctionnement par le lieutenant-gouverneur, à moins d'une autre date fixée par la loi elle-même. Certaines lois importantes sont publiées dans la Gazette officielle de Québec.

La coutume est formée par l'incessante répétition d'un usage devenu universel et persévérant. La coutume québécoise, en matière de mariage, par exemple, veut que le père de la mariée défraie la note de la réception.

La jurisprudence est l'ensemble des règles de droit qui se dégagent des décisions rendues par les tribunaux dans un domaine particulier des rapports sociaux. On peut, par exemple, parler de jurisprudence québécoise en matière de séparation de corps.

La doctrine, quatrième et dernière source du droit, ne saurait engendrer une règle de droit qu'en l'absence d'une loi, d'une coutume ou d'une jurisprudence. Elle est le fruit des travaux des juristes, travaux consistant en commentaires de textes légaux ou de décisions judiciaires.

Il faut que justice soit rendue! Le juge a, dans tous les cas, le devoir de juger. L'article 11 du Code civil consacre cette obligation en ces termes : "Le juge ne peut refuser de juger sous prétexte du silence, de l'obscurité ou de l'insuffisance de la loi."

Que doit donc faire le juge en cas de silence, d'obscurité ou d'insuffisance de la loi? Il devra essayer d'appliquer une règle coutumière, sinon il se tournera vers la jurisprudence pour chercher dans les décisions des tribunaux la solution du conflit qui lui est soumis. Ce n'est qu'en dernier recours, en l'absence d'une jurisprudence établie, qu'il se devra de consulter les ouvrages spécialisés des juristes et des docteurs de la loi.

DROIT ÉCRIT ET *COMMON LAW*

Dans les pays de droit écrit, dont le Québec, la loi est la première source du droit. Les différentes lois appartenant à un même domaine sont contenues dans un "code". Le Code civil est le droit de base, ou le droit commun. Il est complété par une législation qui concerne des situations ou des cas particuliers. Cette législation (appelée en anglais *statutes)* est regroupée périodiquement dans une codification officielle qu'on appelle "statuts refondus". La dernière refonte provinciale date, nous l'avons vu, de 1964. Exemples de lois statutaires : la Loi du barreau, la Loi des assurances, la Loi de l'adoption, le Code de la route, etc.

En revanche, dans les pays anglo-saxons, pays de *common law*, source principale du droit est constituée par un mélange de coutume et de jurisprudence auquel s'ajoutent les lois statutaires. La décision du juge est *déclarative* de l'existence de la coutume, dont il trouve la preuve dans les décisions judiciaires antérieures.

Le Québec est une province de droit écrit. Les autres provinces canadiennes sont des provinces de *common law.*

ÉLÉMENTS DE DROIT CONSTITUTIONNEL

Le Canada est un "Dominion" formé de dix provinces. Le pouvoir est partagé entre les provinces, qui ont chacune un gouvernement provincial. Les gouvernements des provinces ont juridiction dans les domaines qui les touchent particulièrement. D'autre part, le gouvernement fédéral, établi à Ottawa, a juridiction dans les domaines qui touchent toutes les provinces, c'est-à-dire le pays en entier.

La répartition des pouvoirs entre le gouvernement du Canada et les gouvernements provinciaux est déterminée par la constitution, dont le document principal est l'Acte de l'Amérique du Nord britannique de 1867, notamment aux articles 91 et 92, dont voici le texte :

Article 91 (Pouvoirs du Parlement fédéral) :
"Il sera loisible à la Reine, sur l'avis et du consentement du Sénat et de la Chambre des communes, de faire des lois pour la paix, l'ordre et le bon gouvernement du Canada, relativement à toutes les matières ne tombant pas dans les catégories de sujets par le présent acte exclusivement assignées aux législatures des provinces; mais, pour plus de certitude sans toutefois restreindre la généralité des termes plus haut employés dans le présent article, il est par les présentes déclaré que (nonobstant toute disposition du présent acte) l'autorité législative exclusive du Parlement du Canada s'étend à toutes les matières tombant dans les catégories de sujets ci-dessous énumérées, savoir :

1. La modification de la constitution du Canada, sauf en ce qui concerne les matières rentrant dans les catégories de sujets que la présente loi attribue exclusivement aux provinces ...
1a. La dette publique et la propriété publique.
2. La réglementation du trafic et du commerce.
2a. L'assurance-chômage.
3. Le prélèvement de deniers par tout mode ou système de taxation.
4. L'emprunt de deniers sur le crédit public.
5. L'administration des postes.
6. Les recensements et la statistique.
7. La milice, le service militaire, le service naval et la défense du pays.
8. La fixation des traitements et des allocations des fonctionnaires, civils ou autres, du gouvernement du Canada, ainsi que les dispositions à prendre pour en assurer le paiement.
9. Les balises, les bouées, les phares et l'île au Sable.
10. La navigation.
11. La quarantaine, ainsi que l'établissement et l'entretien d'hôpitaux de marine.

12. Les pêcheries côtières et intérieures.
13. Le transport par eau entre une province et un pays britannique ou étranger, ou entre deux provinces.
14. Le numéraire et la frappe de la monnaie.
15. La banque, la constitution des banques et l'émission du papier monnaie.
16. Les caisses d'épargne.
17. Les poids et les mesures.
18. Les lettres de change et les billets à ordre.
19. L'intérêt de l'argent.
20. Le cours légal.
21. La faillite.
22. Les brevets d'invention.
23. Les droits d'auteur.
24. Les Indiens et les terres réservées aux Indiens.
25. La naturalisation et les aubains.
26. Le mariage et le divorce.
27. Le droit criminel, sauf la constitution des tribunaux de juridiction criminelle, mais y compris la procédure en matière criminelle.
28. L'établissement, l'entretien et l'administration des pénitenciers.
29. Les catégories de sujets expressément exceptées dans l'énumération des catégories de sujets que la présente loi attribue exclusivement aux législatures des provinces."

Article 92 (Pouvoirs exclusifs des Parlements provinciaux) : "Dans chaque province, la législature a le droit exclusif de légiférer sur les matières qui rentrent dans les catégories de sujets ci-après énumérées :

1. La modification de la constitution de la province, sauf en ce qui concerne la fonction de lieutenant-gouverneur.
2. Les contributions directes dans la province en vue de prélever des revenus pour des fins provinciales.
3. L'emprunt de deniers sur le seul crédit de la province.
4. La création et l'exercice de fonctions provinciales, ainsi que la nomination et le paiement des fonctionnaires provinciaux.
5. L'administration et la vente de terres publiques appartenant à la province, ainsi que du bois et des forêts qui y poussent.
6. L'établissement, l'entretien et l'administration des prisons publiques et des maisons de correction dans les limites et pour la population de la province.
7. L'établissement, l'entretien et l'administration des hôpitaux, des asiles, des hospices et des refuges dans les limites et pour la population de la province, sauf les hôpitaux de marine.

8. Les institutions municipales dans la province.
9. Les licences de boutiques, de débits de boisson, de tavernes, d'encanteurs et autres établies en vue de prélever des revenus pour des fins provinciales, locales ou municipales.
10. Les travaux et les ouvrages d'une nature locale, autres que ceux qui sont énumérés dans les catégories qui suivent :
    a) Les lignes de vapeurs ou autres navires, les chemins de fer, les canaux, les lignes de télégraphe et autres travaux et ouvrages, reliant la province à une autre ou à d'autres, ou s'étendant au-delà des frontières de la province;
    b) Les lignes de vapeurs entre la province et tout pays britannique ou étranger;
    c) Les travaux qui, bien qu'entièrement situés dans la province, seront, avant ou après leur exécution, déclarés par le Parlement du Canada profiter au Canada en général ou à deux ou plusieurs provinces.
11. La constitution des compagnies pour des objets provinciaux.
12. La célébration des mariages dans la province.
13. La propriété et les droits civils.
14. L'administration de la justice dans la province, y compris la constitution, le coût et l'organisation des tribunaux provinciaux, de juridiction tant civile que criminelle, ainsi que la procédure en matière civile devant ces tribunaux.
15. L'infliction de punitions par voie d'amendes, de peines ou d'emprisonnement en vue de faire respecter toute loi provinciale établie relativement à une matière rentrant dans une des catégories de sujets énumérées dans le présent article.
16. De façon générale, toutes les matières qui, dans la province, sont d'une nature purement locale ou privée."

Quant aux lois sur l'éducation, elles sont de la compétence exclusive des législatures provinciales conformément aux dispositions de l'article 93 de l'A.A.N.B. (1867).

LE GOUVERNEMENT DU CANADA

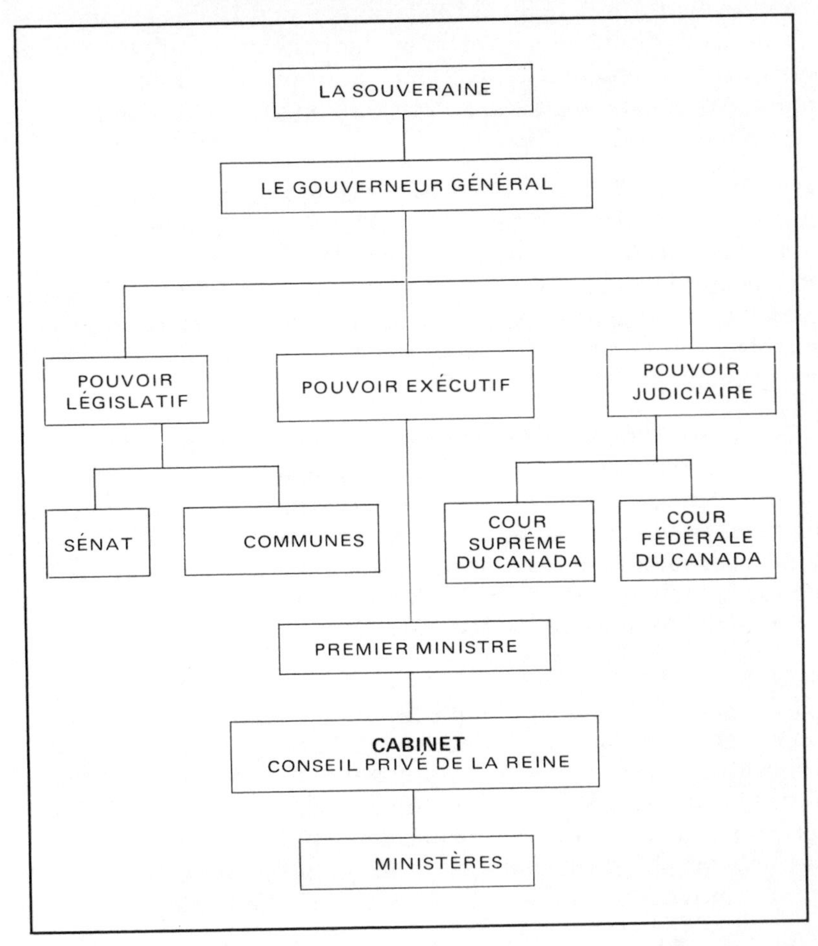

La Confédération : une colonie. Si par l'A.A.N.B. de 1867 le parlement impérial a reconnu au Canada une certaine autonomie, il ne lui a pas reconnu pour autant une personnalité internationale. Le Canada n'a d'autre souverain que la Reine d'Angleterre. Le gouverneur général ou son lieutenant ne sont que des mandataires, dépositaires de l'autorité de la souveraine.

N'exerçant pas la souveraineté, le Canada ne peut exercer aucune action internationale. Il ne peut ni conclure des traités, ni déclarer la guerre, ni faire la paix. Il ne peut pas avoir d'ambassadeurs pour le représenter à l'étranger. Même dans le domaine purement juridique, la cour d'appel suprême est le Conseil privé de la Couronne britannique.

Le Statut de Westminster, 1931. Nous avons vu que le Canada n'avait pas, par l'A.A.N.B. de 1867, obtenu sa véritable autonomie puisque 1) il n'était pas souverain et, par conséquent, n'avait pas de personnalité internationale, et 2) il ne pouvait adopter des lois en conflit avec les lois anglaises, restriction imposée par le Colonial Laws Validity Act de 1865.

Par le Statut de Westminster de 1931, les Anglais accordent au Canada (et à plusieurs autres colonies) le statut de *dominion autonome dans le cadre du Commonwealth.* Le Statut établit le principe que la législation du Canada ne sera plus *nulle et non avenue* en cas de conflit avec la législation votée par le parlement anglais. Quatre ans plus tard, le Conseil privé renonce à tout son pouvoir en tant que cour d'appel suprême du Canada.

Depuis 1931, donc, le Canada est un pays souverain. Il transige, comme tel, avec tous les autres pays du monde. Il nomme des ambassadeurs à Paris, Moscou, Bruxelles, etc. Cependant, le Canada n'a pas d'ambassadeurs dans les autres pays du Commonwealth britannique, mais plutôt des "hauts-commissaires". On dira, par exemple : le Haut-Commissaire du Canada à Londres, ou encore le Haut-Commissaire de la Nouvelle-Zélande à Ottawa.

Désormais, entre l'Angleterre et le Canada s'établissent des rapports d'égal à égal. Aucun lien juridique de domination ou de soumission n'existe entre les deux pays. Cependant, il nous faut rappeler que la constitution canadienne, le British North America Act de 1867, est une loi anglaise. Vieille de plus d'un siècle, elle ne répond plus aux besoins de la société canadienne d'aujourd'hui. Les provinces veulent avoir plus de pouvoirs, d'où les tiraillements que l'on connaît entre les provinces et le pouvoir fédéral à Ottawa.

Pour toutes ces raisons, on parle de "rapatriement de la constitution". C'est-à-dire qu'au lieu d'être régis par une constitution élaborée à Londres, on veut élaborer un nouveau document constitutionnel qui soit promulgué à Ottawa avec l'accord des dix provinces.

CAS PRATIQUE

Le 12 novembre 1969, la Ville de Montréal adopte le règlement numéro 3926 visant à prévenir les émeutes et les assemblées tumultueuses et à assurer l'ordre et la sécurité publics. Le même jour, une ordonnance est émise par la Ville, en vertu de ce même règlement, prohibant toute assemblée, défilé ou attroupement pour une période de trente jours. La Ville avait-elle le droit d'adopter un tel règlement dont le caractère est en relation avec le droit criminel?

La Cour d'appel du Québec a décidé (1974 C.A. 402) que ce règlement était bien de la juridiction de la Ville, vu que, dans les circonstances, il n'empiétait pas sur le domaine fédéral du droit criminel (art. 91.27 de l'A.A.N.B.).

ÉLÉMENTS DE DROIT CRIMINEL

Le droit criminel (ou pénal) est l'ensemble des règles qui interdisent certains actes et prévoient des sanctions (peines) contre ceux qui commettent ces actes, en vue de maintenir l'ordre et la paix dans la société.

Dans une société donnée, un acte peut être considéré comme nuisible à la société, alors que dans une autre société, on ne juge pas nécessaire de prohiber ce même acte. Ainsi, par exemple, l'adultère est un acte criminel en France. Il ne l'est pas au Canada.

Les actes peuvent être nuisibles à plus d'un égard. On distingue en général les actes :
— nuisibles à la personne d'autrui (homicide, viol, voie de fait) ou à ses biens (vol, fraude, incendie criminel);
— nuisibles aux bonnes mœurs (infractions sexuelles, débauche, jeu);
— nuisibles à l'auteur de l'acte (tentative de suicide, possession de stupéfiants);
— nuisibles aux animaux (cruauté, empoisonnement, harcèlement injustifié).

La peine prévue par la loi (ou le règlement) peut aller de la simple amende à la prison à vie. La peine tend essentiellement :
— à donner l'exemple (le châtiment estune leçon pour le coupable et ses semblables);
— à protéger la société, en neutralisant le déliquant (détention, fermeture d'un établissement, retrait d'un permis ou d'une licence);
— à châtier le coupable, l'instinct "social" de justice remplaçant l'ancienne loi du talion (œil pour œil, dent pour dent);
— à réformer le coupable, dans la mesure du possible.

Le Code criminel n'est pas la seule législation en matière criminelle. Il est complété par un cortège de lois connexes telles que la Loi d'interprétation, la Loi de la preuve au Canada, la Loi sur les jeunes délinquants, la Loi sur la libération conditionnelle des détenus, la Loi sur les pénitenciers. À toutes ces lois, viennent s'ajouter les lois statutaires qui prévoient des sanctions pénales : Loi sur les stupéfiants, Loi des douanes, Loi sur la faillite, Loi sur les secrets officiels, etc.

Bien que la législation criminelle, au sens large du terme, relève de la juridiction fédérale en vertu de l'article 91 (27) de l'A.A.N.B. de 1867, elle est partiellement de la compétence des provinces qui, conformément aux dispositions de l'article 92 (15) de l'A.A.N.B. de 1867, peuvent légiférer sur les pénalités visant à faire respecter les lois provinciales. C'est ainsi que certaines *infractions pénales* peuvent être prévues par des lois provinciales, voire par des règlements municipaux. Citons, à titre d'exemple, le code de la route, la Loi sur la Régie des alcools, les règlements municipaux sur la circulation, la construction, etc.

Enfin, la *common law* est une source supplétive importante de notre droit criminel. Bien que l'article 8 (a) du Code criminel exclue les *infractions en common law*, ce droit jurisprudentiel, formé des principes établis par les tribunaux et basé sur le droit criminel d'Angleterre, demeure la source de certaines règles, non légiférées, mais essentielles, notamment en matière de preuve et de procédure criminelle.

L'INFRACTION

L'infraction est une violation de l'ordre social, assortie d'une peine.

Dans toute infraction criminelle, il y a trois éléments : 1) la prohibition par un texte, 2) l'élément matériel et 3) l'élément moral.

L'élément légal. *Nullum crimen, nulla paena sine lege*, il n'est pas de crime ni de peine sans texte. Le fait, aussi blâmable soit-il, ne fera encourir aucune peine à son auteur à moins d'une disposition légale prohibitive.

L'élément matériel *(actus reus).* Le fait commis doit être spécifiquement prévu par une loi pénale. Cette dernière prend soin de définir, dans ses détails, l'élément matériel nécessaire pour que le fait soit considéré comme étant criminel.

L'élément moral *(mens rea).* C'est l'intention criminelle qui justifie la punition du coupable. Cependant, dans certains cas spécifiques, la *mens rea* n'est même pas requise. Il s'agit des cas de grossière négligence, d'homicide involontaire (*manslaughter*), etc.

À cette question de l'intention coupable, se rattache le problème de la responsabilité criminelle. Les enfants âgés de moins de sept ans et, dans certains cas, les enfants âgés de sept à quatorze ans, ainsi que les aliénés mentaux, ne peuvent être déclarés coupables.

Ce sont des exceptions à la règle générale selon laquelle *toute personne est présumée discerner le bien du mal et être saine d'esprit.*

Notons également que les corporations, bien qu'étant des *personnes sans âme ni intelligence*, peuvent être criminellement responsables notamment en matière de fraude lorsque la faute peut être attribuée à leur "cerveau directeur". Elles comparaissent par l'entremise de leur avocat ou de leur représentant.

LA PREUVE

Alors que les règles de la preuve sont, en matière civile, souvent rigoureuses, un procès criminel témoigne d'une certaine souplesse quant aux moyens produits pour démontrer les faits. Néanmoins, le pouvoir d'appréciation du juge ou du jury est lié par des règles essentielles de *common law.*

Par exemple, toute personne est présumée innocente jusqu'à ce qu'elle soit *prouvée* coupable *hors de tout doute raisonnable.* Aussi le prévenu peut-il adopter une attitude d'une extrême passivité au cours de son procès; ses confessions extra judiciaires (hors cour) ne seront admises en cour que si elles ont été *libres et volontaires*; de plus, il n'est pas tenu de témoigner.

Le fardeau de la preuve incombe au poursuivant (généralement le procureur de la Couronne).

On distingue généralement deux sortes de preuves, la preuve directe et la preuve circonstancielle.

La preuve directe ou originale. C'est la meilleure, la plus probante. Elle peut être fournie par un témoin ou par une évidence réelle provenant d'objets matériels (arme tachée de sang, marques, blessures, empreintes digitales, etc.).

La preuve circonstancielle est celle qui découle logiquement et inévitablement et par déduction de *l'ensemble* des faits. Pour valoir contre l'accusé, elle doit être *uniquement* compatible avec sa culpabilité et inconciliable avec toute autre solution logique.

LA PROCÉDURE CRIMINELLE

Aux fins de la procédure, le législateur a classé les délits en deux catégories : les actes criminels et les infractions criminelles.

La distinction repose essentiellement sur la procédure prescrite par la loi : les actes criminels sont poursuivables par *acte d'accusation* tandis que les infractions criminelles sont poursuivables par *dénonciation* (plainte) sur déclaration sommaire de culpabilité. Les actes criminels sont passibles en général d'une peine de deux ans d'emprisonnement ou plus.

MARCHE DE LA PROCÉDURE

Arrestation ou sommation. Un agent de la paix peut arrêter, même sans mandat, toute personne qu'il surprend en train de commettre un acte criminel ou une infraction criminelle. Ce privilège n'appartient pas seulement au policier mais "*quiconque* trouve une personne en train de commettre un acte criminel peut l'arrêter".

Si l'agent de la paix n'a pas de motifs *raisonnables* et *probables* de croire qu'un crime a été commis, il devra obtenir au préalable un mandat d'arrestation du juge de paix.

L'inculpé peut aussi recevoir une sommation ou une citation pour comparaître en cour. Il y a sommation ou citation pour comparaître, plutôt qu'arrestation, quand on a tout lieu de croire que la personne se présentera en cour le jour indiqué et qu'elle n'essaiera pas de fuir entre-temps.

La comparution. Nous avons vu qu'en cas de sommation le prévenu doit se présenter en cour le jour indiqué. En cas d'arrestation, il doit comparaître dans les 24 heures devant un juge de paix (à moins que l'arrestation n'ait eu lieu un samedi).

Notons à ce propos le droit sacré de l'individu à se choisir un avocat pour assumer sa défense et le conseiller.

Il y a deux classes de prévenus que nous rencontrons à la salle des comparutions du Palais de Justice. Il y a, tout d'abord, les prévenus qui sont détenus en attendant de comparaître dans les vingt-quatre heures de leur arrestation. Il y a aussi les prévenus qui ont été libérés par la police et à qui le policier a remis une citation à comparaître ou a fait signer une promesse de comparaître ou un engagement à comparaître.

Cas du prévenu détenu. Nous avons vu que la police n'a pas le droit de garder en détention une personne arrêtée, plus de vingt-quatre heures, sans la faire comparaître devant un juge, sauf si la personne est arrêtée un samedi. Dans ce dernier cas, cette personne sera amenée devant un juge le lundi matin.

Le greffier du tribunal lit alors au prévenu l'accusation qui est portée contre lui et lui demande s'il plaide "coupable" ou "non coupable". Soulignons que nos juges refusent généralement que le prévenu enregistre un plaidoyer de culpabilité s'il n'est pas représenté par un avocat. Ceci, dans le but de mieux protéger le prévenu qui ne réalise peut-être pas les conséquences de son plaidoyer.

Si le prévenu plaide coupable, en présence de son avocat, le juge prononce, en principe, la sentence à laquelle est condamné le prévenu.

Par contre, si le prévenu plaide "non coupable", il devra choisir la forme de son procès (s'il s'agit d'un délit "optionnable") et une date sera fixée pour le procès ou pour l'enquête préliminaire selon le cas.

En attendant la date du procès ou de l'enquête préliminaire, le juge doit ordonner la libération du prévenu à moins que le procureur de la Couronne ne fasse valoir des motifs justifiant la détention du prévenu (art. 457(1) C.Cr.). Dans ce dernier cas, s'ouvre une "enquête sur cautionnement" qui déterminera si la libération du prévenu pourra s'accompagner d'un engagement personnel ou d'un cautionnement à être versé pour lui par une autre personne.

Cas du prévenu en liberté. Il s'agit ici du prévenu qui a été mis en liberté par la police et à qui on a remis une citation à comparaître ou un engagement devant un fonctionnaire responsable du poste de police, pour comparaître au jour fixé devant le juge.

Si le prévenu ne comparaît pas, c'est-à-dire ne se présente pas en cour à la date fixée, on entendra le juge déclarer : "défaut-mandat". Ceci veut dire qu'un mandat d'arrestation sera émis pour amener le prévenu devant le juge *manu militari* (par la force).

Si le prévenu comparaît, le greffier lui lit l'acte d'accusation et lui demande s'il plaide coupable ou non coupable. Si le prévenu plaide coupable, en présence de son avocat, le juge peut soit prononcer la sentence sur le champ ou fixer une date pour le prononcé de la sentence.

Si le prévenu plaide non coupable, il choisira la forme du procès (si le délit est optionnable) et le juge fixera sur-le-champ la date du procès ou de l'enquête préliminaire selon le cas.

L'enquête préliminaire. Elle n'a lieu que pour les actes criminels et permet au juge de paix d'établir si, à première vue (preuve *prima facie*), il y a matière à procès. À cette étape de la procédure, le doute ne bénéficie pas encore au prévenu.

Si le juge estime la preuve nettement insuffisante, le prévenu est immédiatement libéré.

La forme du procès. Pour la majorité des actes criminels, le prévenu a le choix entre trois formes de procès :
— devant un magistrat (sans enquête préliminaire);
— devant un juge seul (après enquête préliminaire);
— devant un juge et un jury après enquête préliminaire.

La première a l'avantage d'être plus expéditive. La deuxième permet surtout le bénéfice d'une enquête préliminaire. La troisième, enfin, permet à l'accusé de comparaître devant des personnes dotées d'un bon sens commun, à l'abri des technicités juridiques : les douze membres du jury.

Dans certains cas, cependant, le prévenu n'a pas le choix quant à la forme du procès. Il s'agit surtout des *actes criminels* suivants :
— actes énumérés à l'article 429.1 du Code criminel (C.Cr.) (particulièrement graves : meurtre, viol, etc.) où un jury est nécessaire;
— actes énumérés à l'article 483 C.Cr. (les moins graves : e.g. vol de moins de $50) : magistrat sans enquête préliminaire et sans jury.

Quelle que soit la forme du procès, la poursuite commence par produire sa preuve. Elle interroge les témoins à charge (ceux qui témoignent contre l'accusé). Ses questions ne doivent être ni insidieuses ni suggestives. La défense (l'avocat du prévenu) contre-interroge ensuite les mêmes témoins, pour essayer de les confondre et, par là, introduire le doute dont bénéficierait certainement l'accusé. La défense, recherchant toujours le doute (bénéfique pour l'accusé),introduira ses propres témoins : les témoins à décharge.

Parfois un témoignage considéré comme insuffisant doit être corroboré par un autre témoignage qui par lui-même ne suffit pas. La corroboration peut être exigée par la loi, par exemple à la suite du témoignage d'un mineur non assermenté. Elle peut être simplement recommandée par la loi, notamment dans les infractions d'ordre sexuel.

S'il s'agit d'un procès avec jury, le juge informe les jurés des implications purement juridiques, laissant les faits à leur souveraine appréciation. Le jury a pour mission d'apprécier les faits seulement et de prononcer son verdict (coupable ou non coupable) et c'est au juge de rendre sa sentence. Le juge reste la seule autorité quant aux points de droit.

Le verdict du jury peut faire l'objet d'un appel devant la Cour d'appel et devant la Cour suprême du Canada.

Un livreur transporte $3 000 dans son camion pour le compte de ses patrons. Cette somme est contenue dans deux enveloppes. En cours de route, il décide de faire une course personnelle.

Au retour, il constate que la vitre de la porte du camion a été brisée. Les deux enveloppes ont disparu.

Le livreur appelle la police.

Au cours de leur enquête, les policiers découvrent que la vitre a été brisée de l'intérieur. Ce qui les porte à soupçonner le livreur. Il se serait emparé des enveloppes, puis aurait brisé la vitre, afin de faire croire à une intervention étrangère.

Accusé du vol, le livreur proteste de son innocence. En cour, il émet l'opinion que le voleur a pu ouvrir la porte du camion à l'aide de fausses clés, puis briser la vitre de l'intérieur, comme on l'accuse d'avoir fait lui-même.

Le livreur sera-t-il condamné pour vol?

Le juge a décidé que l'accusé, par cette hypothèse, a soulevé un doute raisonnable qui justifie son acquittement.

●

Un jeune homme courtise une jeune fille. Celle-ci décide un jour d'aller passer quelque temps dans une ville des États-Unis. Le jeune homme ne l'entend pas ainsi. La jeune fille persiste dans sa décision et achète un billet d'avion.

Le jour du départ, elle prie son ami de la conduire à l'aéroport de Dorval. Il y consent. Mais le jeune homme s'engage sur une route qui s'éloigne de Dorval.

Profitant d'un embouteillage et d'un arrêt forcé, la jeune fille descend de l'automobile. Elle va s'échapper, quand son compagnon saisit sa bourse et fuit à toute vitesse. Le billet de voyage était dans la bourse. Le départ est raté.

La jeune fille porte plainte contre son ami, l'accusant de vol. Celui-ci proteste de son innocence : il n'avait pas l'intention de voler, mais s'est emparé de la bourse uniquement pour l'empêcher de partir. Sera-t-il condamné pour vol?

Le juge l'a déclaré non coupable : il ne peut y avoir vol sans l'intention de voler.

Un individu est accusé de meurtre. La Couronne prouve que l'accusé a bien tué la victime. Des témoins de la Couronne et de la défense rapportent que l'accusé était en état d'ivresse au moment du crime.

L'accusé sera-t-il condamné pour meurtre?

Non. Pour qu'il y ait meurtre, il ne suffit pas qu'il y ait mort d'homme, il faut qu'il y ait l'intention de tuer. L'accusé, ivre, pouvait-il raisonner suffisamment pour vouloir tuer? N'a-t-il pas plutôt donner la mort sans se rendre compte de ce qu'il faisait? Il existe un doute sur les intentions qu'avait l'accusé en posant son acte fatal. Or, en cas de doute, il faut en faire bénéficier l'accusé.

La Cour d'appel de la Colombie britannique a donc décidé qu'il n'y avait pas meurtre, mais homicide involontaire seulement.

ADMINISTRATION DE LA JUSTICE

Pour s'acquitter de sa fonction juridictionnelle, l'État prend certaines dispositions : les unes ont pour objet l'administration de la justice, c'est-à-dire la création et l'organisation des organes auxquels sera dévolu le pouvoir juridictionnel, les autres déterminent les règles suivant lesquelles les tribunaux rendront la justice : ce sont les règles de procédure proprement dite.

Le système judiciaire. L'article 92 de l'A.A.N.B. de 1867 prévoit au paragraphe 14 que "l'administration de la justice dans la province, y compris la constitution, le coût et l'organisation des tribunaux provinciaux, de juridiction tant civile que criminelle, ainsi que la procédure en matière civile devant ces tribunaux" sont de la compétence exclusive des provinces.

D'autre part, le paragraphe 27 de l'article 91 de l'A.A.N.B. de 1867 considère comme étant de compétence fédérale "le droit criminel, sauf la constitution des tribunaux de juridiction criminelle, mais y compris la procédure en matière criminelle".

En somme, tout ce qui a trait à l'organisation des tribunaux tant civils que criminels est du ressort et de la compétence des provinces. Seule la procédure criminelle est du domaine du fédéral.

Néanmoins, l'article 101 de l'A.A.N.B.de 1867 habilite le fédéral à ériger une cour générale d'appel pour tout le Canada et à établir d'autres tribunaux en vue d'assurer une meilleure exécution des lois fédérales.

LES TRIBUNAUX D'INSTITUTION PROVINCIALE

Au Québec l'organisation des tribunaux est actuellement régie par la Loi des tribunaux judiciaires, qui divise ces derniers en trois catégories : 1) tribunaux de juridiction civile; 2) tribunaux de juridiction criminelle et 3) tribunaux de juridiction mixte.

Les tribunaux de juridiction civile. Ce sont : la Cour d'appel (que l'on continue d'appeler Cour du Banc de la Reine) et la Cour supérieure.

La Cour d'appel. Ce tribunal est au sommet de la hiérarchie judiciaire provinciale. Il a une juridiction civile et criminelle d'appel dans toute l'étendue de la province, avec compétence sur toutes les causes susceptibles d'appel suivant la loi.

La Cour est composée d'un certain nombre de juges : un juge en chef, appelé juge en chef de la province de Québec; les autres, dits juges puînés, sont tous nommés (et payés) par le fédéral. Ces juges siègent à Québec et à Montréal.

La Cour d'appel siège au nombre de trois juges.

Le jugement ne peut être rendu qu'à la majorité des juges qui ont entendu la cause. Il doit comporter, outre le dispositif, les noms des juges qui ont entendu la cause, avec mention de celui ou de ceux qui ne partagent pas l'opinion de la majorité (juge dissident), et l'adjudication sur les dépens; il doit en outre être motivé, à moins qu'il ne renvoie à des opinions écrites que les juges auraient produites au dossier.

Les jugements qui sont sujets à appel, c'est-à-dire qui peuvent être entendus par la Cour d'appel, sauf disposition contraire, sont :

— les jugements finals de la Cour supérieure, sauf dans les cas où la valeur de l'objet du litige en appel est inférieure à $3 000;
— les jugements finals de la Cour provinciale dans les causes où cette cour exerce une juridiction qui lui est attribuée exclusivement par une autre loi que le Code de procédure civile;
— les jugements ou ordonnances rendus en vertu des dispositions du Livre sixième du C.P. relatives aux matières non contentieuses;
— avec la permission de deux juges de la Cour d'appel, les autres jugements finals de la Cour supérieure et de la Cour provinciale lorsque ces juges estiment que la question en jeu devrait être soumise à la Cour d'appel;
— les jugements de la Cour supérieure qui prononcent sur la requête en annulation d'une saisie avant jugement;

— le jugement interlocutoire[1] de la Cour supérieure ou de la Cour provinciale avec ou sans la permission de deux juges de la Cour d'appel selon que l'appel du jugement final requérait ou non cette permission :

a) lorsqu'il décide en partie le litige;

b) lorsqu'il ordonne que soit faite une chose à laquelle le jugement final ne pourra remédier; ou

c) lorsqu'il a pour effet de retarder inutilement l'instruction du procès.

La Cour supérieure. C'est le tribunal de droit commun : la Cour supérieure connaît, en première instance, de toute demande ou action civile qui n'est pas exclusivement de la juridiction d'une autre cour. En d'autres termes, si je veux faire un procès à quelqu'un, il faut que je le fasse en Cour supérieure *à moins* que la loi n'ait prévu mon cas comme relevant de la juridiction d'un autre tribunal.

Nous pouvons donc dire que tout ce qui, en première instance, n'est pas de la juridiction exclusive d'un tribunal particulier est de la compétence de la Cour supérieure.

La Cour est présidée par un seul juge et les séances, comme dans toute cour de justice, sont publiques. Les juges sont nommés par le fédéral.

Les tribunaux de juridiction criminelle. Ce sont : la Cour du Banc de la Reine et la Cour des sessions de la paix.

La Cour du Banc de la Reine

— *En première instance.* Elle a juridiction dans toute l'étendue de la province. Les juges de la Cour supérieure agissent comme juges de la Cour du Banc de la Reine, président cette cour dans les divers districts et ont la juridiction et les pouvoirs que leur confère l'autorité compétente.

Les termes ou sessions de la Cour du Banc de la Reine, dans l'exercice de sa juridiction criminelle, sont tenus par un ou plusieurs juges; un ou plusieurs d'entre eux forment un quorum et peuvent exercer tous les pouvoirs et toute la juridiction du tribunal.

— *En appel.* Elle a juridiction en appel dans les affaires criminelles. Ces appels sont entendus par cinq juges dans les cas d'offenses punissables de la peine capitale et dans les causes où l'accusé a été condamné à un emprisonnement de plus de dix ans.

(1) Le Code de procédure définit ainsi le jugement interlocutoire : c'est le jugement qui est rendu en cours d'instance, entre l'institution de la demande et le jugement final qui doit en disposer.

Dans les autres cas, les appels sont entendus par le nombre de juges, non inférieur à trois, que détermine le juge en chef de la Cour du Banc de la Reine.

Dans tous les cas d'offenses punissables de l'emprisonnement à vie, l'appel formé par la Couronne est entendu par cinq juges.

La Cour des sessions de la paix. C'est un tribunal d'archives, composé de juges de sessions nommés par le Conseil exécutif de la Province et dont la juridiction s'étend sur toute la province. Ils exercent, en matières criminelles et pénales, tous les pouvoirs qui sont attribués à la Cour par les lois fédérales et provinciales.

Les tribunaux de juridiction mixte. Ce sont : la Cour provinciale, le Tribunal des juges de paix et la Cour de bien-être social.

La Cour provinciale. Elle est composée de juges nommés par le lieutenant-gouverneur en conseil, à savoir : un juge en chef, un juge en chef adjoint et des juges puînés.

La juridiction de la Cour est générale et s'étend à toute la province. Elle connaît, à l'exclusion de la Cour supérieure, de toute demande :
— dans laquelle la somme demandée ou la valeur de la chose réclamée est inférieure à $3 000, sauf les demandes de pension alimentaire et celles qui relèvent de la Cour fédérale du Canada;
— en exécution, en annulation, en résolution ou en résiliation de contrat, lorsque l'intérêt du demandeur dans l'objet du litige est d'une valeur inférieure à $3 000;
— en résiliation de bail lorsque le montant réclamé pour loyer et dommages n'atteint pas $3 000.

Elle connaît généralement, à l'exclusion de la Cour supérieure, de toute demande tant personnelle qu'hypothécaire formée :
— en recouvrement d'une taxe ou autre somme d'argent due à une corporation municipale ou scolaire en vertu du Code municipal ou de quelque loi générale ou spéciale, ou en vertu d'un règlement adopté sous leur empire;
— en recouvrement de cotisations pour la mise en état, la construction ou la réparation d'immeubles servant à des fins paroissiales;
— en annulation ou en cassation de rôle d'évaluation des immeubles imposables pour fins municipales ou scolaires.

— *La division des petites créances.* En septembre 1972, l'Assemblée nationale a adopté une loi ayant pour but de favoriser l'accès à la justice à tous les citoyens pour les litiges dont le montant ne dépasse pas $400. En vertu de cette loi, une division spéciale de la Cour provinciale a été créée, qu'on appelle communément la Cour des petites créances.

Toute personne physique créancière d'une somme de $400 ou moins peut s'adresser à la Cour des petites créances pour poursuivre son débiteur sans avoir besoin des services d'un avocat. En effet, les avocats n'ont pas le droit de plaider (pour autrui) devant cette Cour.

Un propriétaire, par exemple, dont le locataire n'a pas payé le loyer mensuel de $150 pourra réclamer cette somme à ce locataire devant la Cour des petites créances. Un garagiste qui a effectué des réparations au montant de $300 pourra également recourir à la Cour des petites créances pour se faire payer.

Il existe, cependant, quatre cas dans lesquels on ne peut pas recourir à la Cour des petites créances. Il s'agit des réclamations suivantes :
— demande de pension alimentaire (découlant d'une séparation ou d'un divorce);
— réclamation de rentes (de toutes sortes, viagères ou autres);
— poursuite en diffamation (écrits ou paroles diffamatoires, injures);
— cas affectant les droits futurs des parties en cause (par exemple, droits de succession).

La demande du créancier se fait sur la formule de requête (modèle ci-contre).

Le Tribunal des juges de paix. Les juges de paix sont nommés pour les différents districts de la province. Ils sont choisis parmi les personnes les plus compétentes résidant dans ces districts.

Les juges de paix possèdent et exercent tous les pouvoirs, autorité, droits et privilèges, et sont soumis à tous les devoirs, obligations et responsabilités qui leur sont conférés par la loi.

Leur juridiction est *territoriale* et non pas *personnelle*, c'est-à-dire qu'elle est strictement limitée au territoire pour lequel ils ont été nommés.

La Cour de bien-être social. Elle est créée par le Conseil exécutif de la Province et sa juridiction est limitée au district (ou aux districts) pour lequel elle a été établie.

Le lieutenant-gouverneur en conseil nomme les juges.

COUR PROVINCIALE

CANADA
PROVINCE DE QUEBEC
DISTRICT ____________
LOCALITE ____________

No ________

REQUERANT (E)

- vs -

INTIME (E)

- et -

REQUETE

Le (la) requérant (e) demande à l'intimé (e) d'effectuer le paiement de la somme de ________ et des frais judiciaires dans les dix (10) jours de la signification de cette requête.

Ladite somme est due pour les motifs suivants

____
Requérant / Mandataire

AFFIDAVIT

Je, soussigné (e) étant dûment assermenté (e) sur les Saints Evangiles, dépose et dis

1- Je suis le (la) requérant (e) de cette requête;
2- La somme réclamée est due (et exigible);
3- Tous les faits allégués sont vrais

Et j'ai signé

____
Requérant

Assermenté devant moi

à

le 19

________________________ ________________________
(qualité de celui qui reçoit l'affidavit)

ORIGINAL — A CONSERVER AU GREFFE

DGG-1

La Cour est autorisée à connaître des cas des jeunes délinquants déclarés tels au sens de la Loi sur les jeunes délinquants (S.R.C. 1970, chap. J-3). En outre, la juridiction de la Cour s'étend :
— à l'admission des enfants dans les écoles de protection de la jeunesse;
— à l'adoption des enfants;
— aux contraventions aux lois (Code criminel, règlements municipaux, etc.), commises par des enfants âgés de moins de dix-huit ans.

De plus, la loi prévoit que tout juge de la Cour de bien-être social doit, dans le territoire pour lequel elle est établie, s'employer à aider à la protection de l'enfance et aux bonnes relations entre conjoints. À ces fins :
— il conseille les personnes qui recourent à ses bons offices pour la réhabilitation des jeunes délinquants, la protection des enfants particulièrement exposés à des dangers moraux et physiques en raison de leur milieu ou d'autres circonstances spéciales, et d'une façon générale il collabore à l'amélioration du sort de l'enfance malheureuse et négligée;
— il agit comme conciliateur, lorsqu'il en est requis, dans tout différend entre conjoints ou entre parents et enfants.

LES TRIBUNAUX D'INSTITUTION FÉDÉRALE

L'article 101 de l'A.A.N.B. de 1867 se lit comme suit : "Par dérogation au présent acte, le Parlement du Canada pourra, au besoin, prendre des dispositions pour instituer et organiser *une cour générale d'appel* pour le Canada et pour en défrayer la dépense, ainsi que pour établir d'autres tribunaux en vue d'assurer une meilleure exécution des lois du Canada."

En conséquence, deux cours fédérales ont été instituées, la Cour suprême du Canada et la Cour fédérale du Canada.

La Cour suprême du Canada. Instituée en 1875, la Cour suprême est maintenant régie par la Loi sur la Cour suprême (S.R.C. 1970, chap. S-19). C'est la plus haute cour du Canada. Son siège est à Ottawa et elle a juridiction générale d'appel partout au Canada tant en matière civile qu'en matière criminelle. Elle se compose d'un juge en chef, appelé juge en chef du Canada, et de huit juges puînés. Les juges sont nommés par le gouverneur général en conseil. Trois des juges doivent être Québécois.

Organe judiciaire. La Cour suprême n'est pas un tribunal de première instance mais d'appel. On peut en appeler devant cette Cour de tout jugement définitif d'une province avec la permission de la Cour suprême.

La Cour suprême juge aussi, en dernier ressort, des conflits constitutionnels entre le pouvoir fédéral et les pouvoirs provinciaux.

Organe consultatif. La Cour doit étudier les questions qui lui sont déférées par le gouverneur général en conseil et émettre son opinion. Elle peut aussi être consultée par le Sénat et les Communes.

La Cour fédérale du Canada. Créée en 1875, la Cour de l'Échiquier a été restructurée par la loi C-172 du 29 octobre 1970 qui a changé son nom en "Cour fédérale du Canada". La nouvelle Cour a été inaugurée le 1er juin 1971. Le siège de la Cour est à Ottawa. Elle a juridiction sur tout le Canada, et elle peut siéger partout au Canada.

C'est devant cette Cour que sont portés les litiges opposant les individus au gouvernement fédéral ainsi que les organismes qui relèvent de son autorité.

Elle a compétence également pour entendre les causes se rapportant à la navigation maritime, les brevets d'invention et droits d'auteur, l'impôt fédéral sur le revenu et la citoyenneté.

LE PERSONNEL JUDICIAIRE ET LES OFFICIERS DE JUSTICE

L'administration de la justice est confiée à un grand nombre de personnes au service de l'appareil judiciaire. Nous allons les passer en revue en décrivant sommairement leurs tâches et responsabilités.

Le juge. Il est au centre de l'appareil judiciaire. Il a la lourde responsabilité d'appliquer les lois dans les litiges qui lui sont soumis par les justiciables.

Le juge est généralement un ancien avocat membre du Barreau ayant exercé le droit pendant au moins dix ans. Il est inhabile à remplir certaines fonctions incompatibles avec son statut, comme celle d'avocat, à l'exception du juge municipal.

L'avocat. Licencié en droit et membre du Barreau, il représente les justiciables devant les tribunaux. Il agit également comme conseiller juridique, aidant ainsi à prévenir, bien souvent, des litiges.

Dans les causes criminelles, l'avocat qui représente l'État porte le nom de *procureur de la Couronne.*

Le notaire. Licencié en droit et membre de la Chambre des notaires, le notaire est un officier public dont la principale fonction est de recevoir et de rédiger les actes authentiques, tels le contrat de mariage, le testament notarié, la vente d'immeubles, etc.

Il doit conserver ces actes, en donner communication et en tirer des extraits. Il peut représenter ses clients devant les tribunaux dans certaines procédures non contentieuses.

Le notaire agit aussi comme conseiller juridique auprès de ses clients.

Le greffier. C'est un fonctionnaire du ministère de la Justice qui a pour principale fonction de conserver les archives judiciaires, d'en distribuer des copies authentiques et de rendre certains jugements relevant de sa compétence.

Le greffier de la Cour supérieure porte le nom de *protonotaire.* Il célèbre, entre autres, les mariages civils.

L'huissier. C'est un officier de justice qui a subi avec succès les examens du ministère de la Justice. Son rôle consiste à signifier les procédures judiciaires aux parties et à exécuter les jugements par voie de saisie au besoin.

Le shérif. Ce fonctionnaire est préposé à la vente en justice des immeubles en exécution des jugements. Il dresse aussi les listes des jurés pour les procès par jury.

Le greffier-audiencier. On l'appelle aussi secrétaire judiciaire. Cet officier de justice a pour fonction de dresser le procès verbal de l'audience. Il fait prêter serment aux témoins à l'audience.

Le sténographe officiel. Il transcrit en notes sténographiques tout ce qui se dit à l'audience. Dans certaines cours, ces transcriptions se font maintenant sur bandes magnétiques.

Hors cour, le sténographe officiel transcrit en sténographie les témoignages rendus par les parties ou leurs témoins à l'occasion de certaines procédures, comme l'interrogatoire au préalable.

L'huissier-audiencier. On l'appelle aussi le *crieur.* C'est lui qui précède le juge dans la salle d'audience et qui annonce : *Silence, la Cour est ouverte, que tous ceux qui ont à faire s'approchent : ils seront entendus. Vive la Reine!*

L'huissier-audiencier veille au bon ordre dans la salle d'audience.

Le commissaire à l'assermentation. Il est habilité à recevoir le serment chaque fois qu'une déclaration assermentée doit être produite. Le ministère de la Justice nomme un certain nombre de commissaires à l'assermentation pour chaque district judiciaire.

Certaines personnes jouissent automatiquement de ce privilège : les protonotaires, les greffiers, les avocats, les notaires, ainsi que les maires et secrétaires-trésoriers des municipalités.

Le coroner. Généralement médecin, avocat ou notaire, le coroner enquête sur les circonstances entourant la mort violente d'une personne. Il est nommé par le ministère de la Justice.

Si, au terme de l'enquête, il conclut à la responsabilité criminelle d'une personne, il doit en aviser le procureur général de la province (le ministre de la Justice).

Le régistrateur. Il administre le bureau d'enregistrement des droits réels où sont conservés les documents relatifs aux immeubles et aux transactions immobilières.

Le syndic. Généralement comptable de profession, il s'occupe de l'administration et de la liquidation d'une faillite.

CAS PRATIQUES

Deux jeunes écoliers jouaient dans la rue à proximité d'une boîte postale. Celle-ci, mal fixée au sol, chancela, tomba sur l'un des enfants et le blessa grièvement. Les dommages sont évalués à $4 000. Devant quelle cour les parents du jeune blessé ont-ils intenté l'action?

L'action ayant été intentée contre le ministère (fédéral) des Postes, elle était de la juridiction de la Cour fédérale.

●

Deux automobiles entrent en collision sur un terrain de stationnement. Le premier véhicule subit des dommages évalués par un garagiste à $200. Le propriétaire du deuxième nie toute responsabilité. Le premier automobiliste décide de poursuivre son adversaire en justice. À quelle cour devra-t-il s'adresser? Un avocat pourra-t-il y plaider sa cause?

Il devra s'adresser à la Cour des petites créances, car il s'agit d'un litige d'une valeur n'excédant pas $400. Or les avocats n'ont pas le droit de plaider pour leurs clients devant cette Cour.

Chapitre 2

La personne humaine et la famille

LES DROITS DE LA PERSONNE

Tout être humain possède des droits attachés à sa personne et que lui reconnaissent les lois.

Dans les sociétés civilisées, on a toujours parlé des "droits de l'homme". En 1948, les Nations unies ont adopté la "Déclaration universelle des droits de l'homme". En 1960, le parlement canadien promulguait la "Déclaration canadienne des droits".

Plus récemment encore, l'Assemblée nationale du Québec adoptait, le 27 juin 1975, une loi intitulée "La Charte des droits et libertés de la personne". Cette "Charte" a reconnu un certain nombre de principes fondamentaux dont voici l'essentiel :

1. Tout être humain a droit à la vie, ainsi qu'à la sûreté, à l'intégrité physique et à la liberté de sa personne.

   Il possède également la personnalité juridique.

2. Tout être humain dont la vie est en péril a droit au secours.

   Toute personne doit porter secours à celui dont la vie est en péril, personnellement ou en obtenant du secours, en lui apportant l'aide physique nécessaire et immédiate, à moins d'un risque pour elle ou pour les tiers ou d'un autre motif raisonnable.

3. Toute personne est titulaire des libertés fondamentales telles la liberté de conscience, la liberté de religion, la liberté de réunion pacifique et la liberté d'association.

4. Toute personne a droit à la sauvegarde de sa dignité, de son honneur et de sa réputation.

5. Toute personne a droit au respect de sa vie privée.

10. Toute personne a droit à la reconnaissance et à l'exercice, en pleine égalité, des droits et des libertés de la personne, sans distinction, exclusion ou préférence fondée sur la race, la couleur, le sexe, l'état civil, la religion, les convictions politiques, la langue, l'origine ethnique ou nationale ou la condition sociale.

    Il y a discrimination lorsqu'une telle distinction, exclusion ou préférence a pour effet de détruire ou de compromettre ce droit.

23. Toute personne a droit, en pleine égalité, à une audition publique et impartiale de sa cause par un tribunal indépendant et

qui ne soit pas préjugé, qu'il s'agisse de la détermination de ses droits et obligations ou du bien-fondé de toute accusation portée contre elle.

Le tribunal peut toutefois ordonner le huis clos dans l'intérêt de la morale ou de l'ordre public.

Il peut également l'ordonner dans l'intérêt des enfants, notamment en matière de divorce, de séparation de corps, de nullité de mariage ou de déclaration ou désaveu de paternité.

25. Toute personne arrêtée ou détenue doit être traitée avec humanité et avec le respect dû à la personne humaine.

28. Toute personne arrêtée ou détenue a droit d'être promptement informée, dans une langue qu'elle comprend, des motifs de son arrestation ou de sa détention.

29. Toute personne arrêtée ou détenue a droit, sans délai, d'en prévenir ses proches et de recourir aux services d'un avocat.

33. Tout accusé est présumé innocent jusqu'à ce que la preuve de sa culpabilité ait été établie suivant la loi.

34. Toute personne a droit de se faire représenter par un avocat ou d'en être assistée devant tout tribunal.

39. Tout enfant a droit à la protection, à la sécurité et à l'attention que doivent lui apporter sa famille ou les personnes qui en tiennent lieu.

40. Toute personne a droit, dans la mesure et suivant les normes prévues par la loi, à l'instruction publique gratuite.

45. Toute personne dans le besoin a droit, pour elle et sa famille, à des mesures d'assistance financière et à des mesures sociales, prévues par la loi, susceptibles de lui assurer un niveau de vie décent.

47. Les époux ont, dans le mariage, les mêmes droits, obligations et responsabilités.

Ils assurent ensemble la direction morale et matérielle de la famille et l'éducation de leurs enfants communs.

48. Toute personne âgée ou toute personne atteinte d'une infirmité ou souffrant d'une déficience ou d'une maladie mentale a droit d'être protégée contre toute forme d'exploitation.

Telle personne a aussi droit à la protection et à la sécurité que doivent lui apporter sa famille ou les personnes qui en tiennent lieu.

De plus, notre code civil consacre le principe de l'inviolabilité de la personne humaine. On ne peut donc porter atteinte au corps d'autrui sans son consentement : un chirurgien ne peut procéder à une opération sans le consentement du malade (ou de l'un de ses proches s'il est hors d'état).

La personne peut-elle, en revanche, disposer de son vivant d'une partie de son propre corps? Elle peut le faire à condition de ne pas mettre sa vie en danger. Elle peut même vendre une partie de son corps pourvu qu'il s'agisse d'une partie qui se régénère (sang, cheveux, etc.). Par contre on peut donner de son vivant une partie de son corps qui ne se régénère pas (un rein, un poumon, etc.). Ce genre de disposition est, du reste, fréquent dans les transplantations chirurgicales.

Que dire d'une telle disposition qui prendrait effet après la mort? Le Code civil édicte que le majeur peut, par écrit, régler les conditions de ses funérailles et le mode de disposition de son cadavre.

Tout être humain possède la personnalité juridique. Cette existence juridique est marquée par trois événements majeurs constatés dans les actes de l'*état civil* : la naissance, le mariage et la mort. Ces actes sont inscrits dans les registres de l'état civil.

Ces registres sont tenus par les curés ou ministres des églises, congrégations ou sociétés religieuses, en leur qualité d'officiers de l'état civil, ou par le protonotaire de la Cour supérieure pour les mariages civils.

Pour désigner et identifier une personne on a recours à certains éléments tels que le nom, le sexe, le domicile, la nationalité, etc. De ces éléments, retenons le nom et le domicile.

Le nom se compose de deux éléments essentiels : le nom patronymique (nom de famille) et le (ou les) prénom(s). Le *nom patronymique* est l'appellation par laquelle on désigne tous les membres d'une même famille. Il s'acquiert par la filiation légitime et par l'adoption. L'usage du nom patronymique s'acquiert également par le mariage : la femme mariée acquiert l'usage du nom de son mari, sans toutefois perdre le droit à son nom de jeune fille.

Le domicile de la personne est le lieu où elle a son principal établissement. Plus précisément, le domicile est la relation juridique entre une personne et ce lieu. Il ne faut pas confondre "domicile" et "résidence". Car si le lieu de résidence est l'endroit où l'on habite, il faut, pour qu'il y ait domicile, ajouter *l'intention* de la personne d'en faire son principal établissement.

Monsieur Paré habite la rue Saint-Hubert à Montréal. C'est à cette adresse qu'il reçoit son courrier, ses factures. Il s'est acheté un chalet à Lavaltrie et y passe ses étés avec sa famille. Monsieur Paré a donc *deux* résidences, mais un seul domicile.

Sans le concept du domicile, on ne pourrait localiser une personne. Or, le domicile de la personne conditionne, partiellement ou entièrement, l'exercice d'un grand nombre de droits, qu'il s'agisse de la personne titulaire du droit, ou de la personne contre laquelle ce droit est exercé.

Ainsi, le mariage est célébré au lieu du domicile de l'un des époux; le lieu où s'ouvre la succession est le dernier domicile du défunt; l'action en justice est portée devant le tribunal du district judiciaire dans lequel se trouve le domicile du défendeur; le domicile de la femme mariée est celui de son mari, le domicile du mineur non émancipé est celui de ses père et mère ou tuteur, celui de l'interdit est chez son curateur; les majeurs qui servent autrui, dans sa maison, et y demeurent, ont leur domicile chez cette personne.

En vue d'exercer certains droits, une personne peut avoir un *domicile élu* en plus de son domicile réel. Le commerçant peut, par exemple, élire domicile, pour ses affaires, au lieu où il exerce son commerce : un épicier domicilié à Saint-Bruno peut élire domicile à Montréal pour ses affaires. Son domicile réel est Saint-Bruno, son domicile élu Montréal.

LA CAPACITÉ JURIDIQUE

Dans la vie juridique d'une personne, on distingue deux sortes de capacité : la capacité de jouissance et la capacité d'exercice. La capacité de jouissance est l'aptitude à acquérir des droits. En général, toute personne a la capacité de jouissance depuis sa naissance, voire avant sa naissance, depuis sa conception, à condition qu'elle naisse viable.

Quant à la capacité d'exercice, c'est, en plus de l'aptitude à acquérir des droits, la compétence d'accomplir des actes juridiques sans l'assistance ou l'autorisation d'un tiers.

Certaines personnes sont privées de cette capacité d'exercice. La loi, les ayant jugées incapables d'accomplir des actes juridiques, a voulu les protéger en leur imposant l'intervention d'un tiers que nous appellerons, selon le cas, tuteur ou curateur. Il s'agit des mineurs et des interdits.

LE MINEUR

Le mineur est tout individu qui n'a pas atteint l'âge de dix-huit ans accomplis. La loi le considérant comme incapable d'accomplir des actes juridiques, on lui nommera un tuteur, si besoin est, désigné par le juge sur avis du conseil de famille.

Le conseil de famille se compose des plus proches parents et alliés du mineur, au nombre de sept au moins, pris tant dans la ligne paternelle que dans la ligne maternelle, aussi équitablement que possible. Le conseil a double fonction : proposer un tuteur et un subrogé-tuteur et aider ce dernier dans l'exercice de la tutelle.

Le tuteur prend soin du mineur et administre ses biens en bon père de famille. Il devra rendre compte au mineur de sa tutelle, lorsque ce dernier aura atteint sa majorité.

Il faut distinguer, pendant l'exercice de la tutelle, les actes que le mineur peut accomplir seul, ceux que le tuteur peut accomplir seul et ceux que ce dernier ne peut accomplir qu'avec l'autorisation du tribunal sur avis du conseil de famille.

Le mineur seul. Étant donné la nécessité d'un certain apprentissage de la vie, le mineur est habilité par la loi à accomplir certains actes sans assistance et sans autorisation. Ainsi :
— le mineur salarié âgé de quatorze ans peut intenter seul les actions en recouvrement de gages (art. 304 C.C.);
— s'il est poursuivi en justice, le mineur peut invoquer, seul, l'incapacité résultant de sa minorité (art. 304 C.C.);
— le mineur commerçant est réputé majeur pour les faits relatifs à son commerce (art. 323 C.C.);
— le mineur banquier, commerçant ou artisan, n'est pas restituable pour cause de lésion contre les engagements qu'il a pris en raison de son commerce, de son art ou de son métier (art. 1005 C.C.);
— le mineur, quel que soit son âge, peut déposer des fonds dans une banque ou *les retirer sur sa signature* (Loi des banques, art. 95);
— il peut également, en vertu de la Loi des caisses d'épargne et de crédit, souscrire des parts sociales, déposer ses économies et, dans les deux cas, en retirer le bénéfice et le principal.

Le tuteur seul. Le tuteur peut accomplir seul, pourvu qu'il agisse en bon père de famille, les actes de pure administration, notamment les actes conservatoires, les actes d'exploitation des biens de son pupille et la vente des meubles corporels.

Par ailleurs, le tuteur peut accepter, seul, une donation pour son pupille, Il devra cependant agir avec prudence, le mineur pouvant invoquer lésion s'il n'y a pas eu autorisation préalable du juge sur avis du conseil de famille conformément à l'article 792 C.C.

Le tuteur avec autorisation judiciaire. Certains actes, à cause de leur importance, requièrent une autorisation du tribunal sur avis du conseil de famille. Citons :
— la continuation d'un commerce établi;
— l'emprunt pour son pupille;
— l'aliénation ou l'hypothèque des immeubles;
— la cession ou le transport des capitaux, des actions ou des

intérêts du mineur dans les compagnies de finance, de commerce ou d'industrie;

— l'acceptation ou la répudiation d'une succession échéant au mineur, et ce sous bénéfice d'inventaire;

— la transaction (en raison de l'abandon des droits certains ou des prétentions du mineur);

— le consentement au contrat de mariage et au mariage lui-même, lorsque l'enfant mineur n'a ni père ni mère,ou s'ils se trouvent dans l'impossibilité de manifester leur volonté.

Actes interdits au tuteur. La loi interdit certains actes au tuteur. Ainsi, le tuteur ne peut ni acheter les biens du mineur, ni accepter la cession d'aucun droit ou d'aucune créance contre son pupille.

Il ne peut non plus donner les biens du mineur qui lui sont confiés, à l'exception des choses modiques et des cadeaux d'usage. À ces actes ajoutons l'acceptation pure et simple d'une succession, le compromis et le partage d'immeubles.

LES INTERDITS

Certaines personnes, même majeures, sont incapables d'accomplir des actes juridiques. Inaptes à discerner le bien du mal, la loi a voulu les protéger en les interdisant.

Il s'agit des personnes majeures qui sont dans un état habituel d'imbécillité, de démence ou de fureur, ou qui se portent à des excès de prodigalité au point de dissiper leurs biens. Peuvent aussi être interdits les ivrognes d'habitude et les narcomanes qui dissipent leurs biens ou les administrent mal.

La cause de l'interdiction ne suffit pas par elle-même. Il faut que soit prononcé en cour un jugement d'interdiction, qui nomme en même temps un curateur chargé de la gestion des biens de l'interdit. De même, si la cause de l'interdiction disparaît, l'interdiction demeure tant qu'il n'y a pas eu jugement de mainlevée.

La nomination du curateur se fait généralement de la même façon que celle du tuteur. Les fonctions et responsabilités du curateur sont identiques à celles du tuteur.

La curatelle publique est un organisme gouvernemental qui, en plus d'administrer les biens des incapables qui ne sont pas pourvus d'un tuteur ou d'un curateur, contrôle l'administration des biens des incapables exercée par des tuteurs ou curateurs privés.

En effet, l'article 31 de la Loi de la curatelle publique impose aux curateurs et tuteurs privés l'obligation de transmettre à la curatelle publique une copie de l'inventaire des biens confiés à leur gestion, ainsi qu'un rapport annuel de leur administration. De plus, l'article 32 autorise le curateur public à demander la destitution d'un tuteur ou d'un curateur pour les motifs reconnus au Code civil ou pour violation de l'article 31.

LE MARIAGE

Le mariage est une institution sociale génératrice de la cellule essentielle à la société : la famille. C'est pourquoi le législateur a veillé à sa réglementation, soucieux d'assurer à la famille des bases solides et saines. Il a prévu des conditions (de fond et de forme) indispensables à l'existence même du mariage. L'inobservance de certaines conditions peut entraîner la nullité du mariage.

Le mariage est l'union légale de l'homme et de la femme.

LES CONDITIONS DE VALIDITÉ DU MARIAGE

Pour se marier valablement, les conjoints doivent avoir l'aptitude physique et donner un consentement libre et sain. Quant au mineur, il a besoin du consentement de son père, de sa mère ou de son tuteur.

Le mariage est prohibé à une personne déjà mariée et dont le mariage n'a pas été dissous. Il est également défendu entre personnes parentes ou alliées jusqu'à un certain degré déterminé par la loi.

Au Québec, on connaît deux formes de mariage : le mariage religieux célébré devant les autorités religieuses et le mariage civil célébré devant les autorités civiles, en l'occurrence le protonotaire.

Deux conditions sont requises : la publication des bans à l'église ou l'affichage au Palais de Justice d'une part, et la célébration publique devant un officier compétent et deux témoins d'autre part.

LES OBLIGATIONS QUI NAISSENT DU MARIAGE

Les époux se doivent mutuellement fidélité, secours et assistance. Ils s'obligent à nourrir, entretenir et élever leurs enfants. Ils doivent habiter ensemble. Le mari est obligé de fournir à sa femme tout ce qui est nécessaire pour les besoins de la vie, selon ses facultés et son état. La femme concourt avec le mari à assurer la direction morale de la famille. Si la femme a des biens ou travaille, elle est obligée de participer aux frais du ménage.

L'obligation alimentaire. On appelle "obligation alimentaire" l'obligation légale pour une personne de *fournir à une autre* qui se

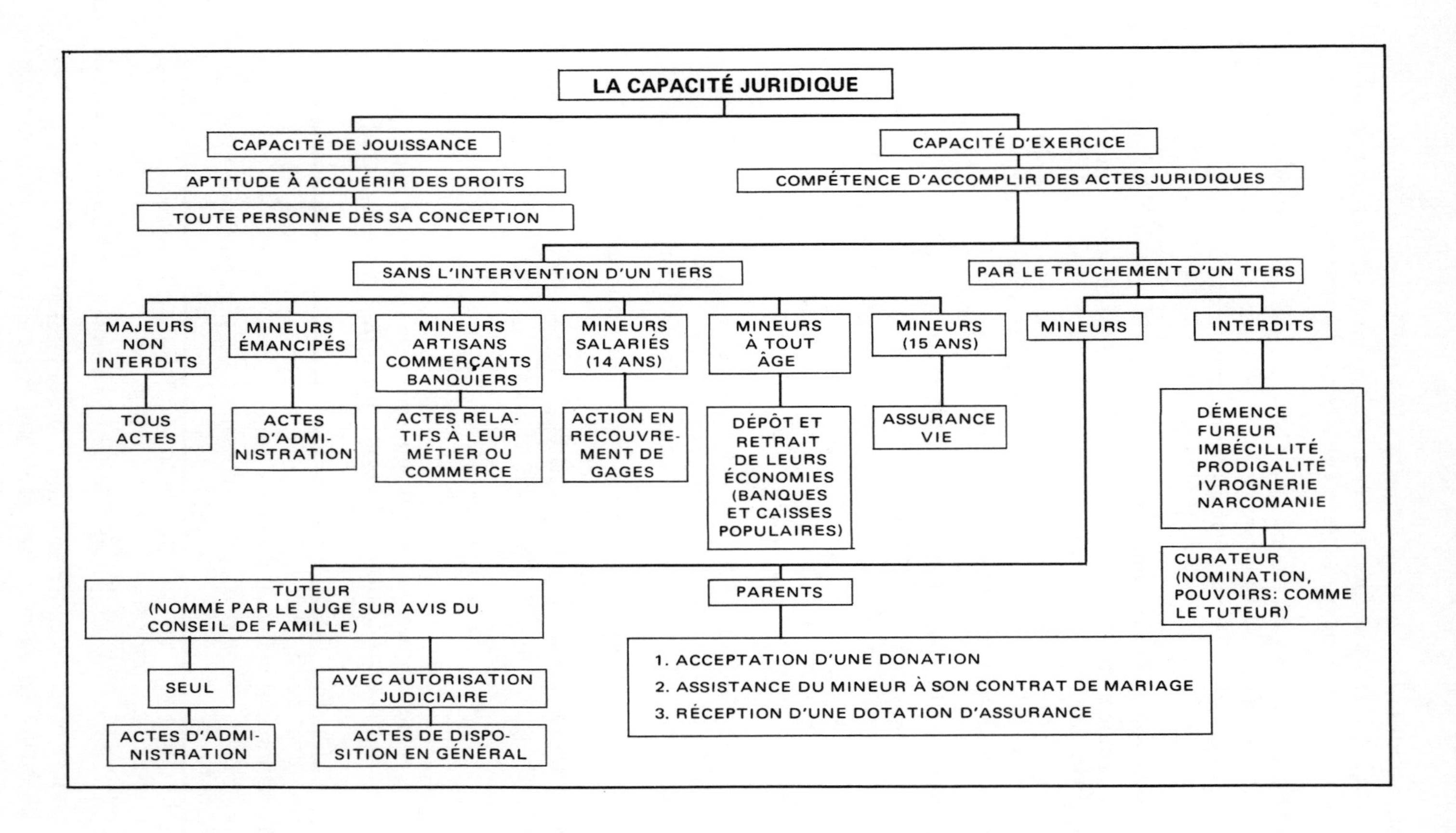
LA CAPACITÉ JURIDIQUE
CAPACITÉ DE JOUISSANCE
APTITUDE À ACQUÉRIR DES DROITS
TOUTE PERSONNE DÈS SA CONCEPTION
CAPACITÉ D'EXERCICE
COMPÉTENCE D'ACCOMPLIR DES ACTES JURIDIQUES
SANS L'INTERVENTION D'UN TIERS
PAR LE TRUCHEMENT D'UN TIERS
MAJEURS NON INTERDITS
TOUS ACTES
MINEURS ÉMANCIPÉS
ACTES D'ADMI-NISTRATION
MINEURS ARTISANS COMMERÇANTS BANQUIERS
ACTES RELA-TIFS À LEUR MÉTIER OU COMMERCE
MINEURS SALARIÉS (14 ANS)
ACTION EN RECOUVRE-MENT DE GAGES
MINEURS À TOUT ÂGE
DÉPÔT ET RETRAIT DE LEURS ÉCONOMIES (BANQUES ET CAISSES POPULAIRES)
MINEURS (15 ANS)
ASSURANCE VIE
MINEURS
INTERDITS
DÉMENCE
FUREUR
IMBÉCILLITÉ
PRODIGALITÉ
IVROGNERIE
NARCOMANIE
CURATEUR (NOMINATION, POUVOIRS: COMME LE TUTEUR)
TUTEUR (NOMMÉ PAR LE JUGE SUR AVIS DU CONSEIL DE FAMILLE)
SEUL
ACTES D'ADMI-NISTRATION
AVEC AUTORISATION JUDICIAIRE
ACTES DE DISPO-SITION EN GÉNÉRAL
PARENTS
1. ACCEPTATION D'UNE DONATION
2. ASSISTANCE DU MINEUR À SON CONTRAT DE MARIAGE
3. RÉCEPTION D'UNE DOTATION D'ASSURANCE

trouve *dans le besoin*, et se rattache à elle par un *lien de famille* déterminé, les secours nécessaires à la vie — nourriture, vêtement et logement — désignés par le terme générique d'aliments.

L'obligation alimentaire n'existe qu'entre époux, et entre certains parents ou alliés. Elle suppose, en principe, deux conditions : celui qui prétend y avoir droit doit être dans le besoin, et celui qui y est tenu doit être en état de la fournir.

Elle est basée sur l'existence entre les membres d'une même famille d'un sentiment de solidarité et d'entraide, poussant ceux qui sont dans l'aisance à venir au secours de ceux qui sont dans la gêne. C'est parce que la famille est considérée comme une réalité physiologique, morale et sociale incontestable que ce sentiment naturel de solidarité a été transformé en obligation légale.

Les personnes tenues de l'obligation alimentaire sont :
— les époux (art. 176 C.C.);
— les parents en ligne directe, tant ascendante que descendante (art. 166 C.C.);
— certains alliés; ainsi les gendres et les belles-filles doivent des aliments à leurs beau-père et belle-mère (art. 167 C.C.).

Toutes ces personnes sont tenues *réciproquement* les unes à l'égard des autres (art. 168 C.C.). La réciprocité est, en effet, une caractéristique essentielle de l'obligation alimentaire (solidarité familiale).

L'obligation alimentaire n'existe pas entre parents collatéraux (frères et sœurs). Le secours alimentaire entre frères et sœurs peut être considéré comme une obligation naturelle à laquelle ne s'appliquent pas les règles de l'obligation alimentaire légale.

LE CONTRAT DE MARIAGE

Mais, la vie conjugale n'est pas seulement une union de deux personnes; c'est aussi, éventuellement, une union de leurs biens.

Au cours de la vie matrimoniale, certains problèmes d'ordre financier ne manquent pas de surgir. Par exemple, si la femme avait $5 000 avant son mariage, lequel des deux conjoints en aura l'administration? la disposition? Si le mari, pendant le mariage, héritait d'une maison, en aura-t-il seul la propriété? Si la femme travaille après le mariage, jouira-t-elle, seule, du fruit de son travail? Si de cet argent gagné elle s'achète un immeuble, en aura-t-elle seule la propriété? devra-t-elle verser les revenus de l'immeuble à son mari?

Le mariage étant considéré comme une association, il est normal que les futurs époux prévoient, dans une convention que nous appellerons *le contrat de mariage*, la base sur laquelle seront régies leurs relations pécuniaires.

Le contrat de mariage est une convention entre deux personnes en vue de leur mariage et qui a pour objet leurs relations pécuniaires pendant le mariage.

Le régime matrimonial convenu dans le contrat ne prend effet qu'au jour de la célébration du mariage. Les futurs conjoints ont le choix de faire ou non un contrat de mariage. S'ils n'en font pas, ils se marient sous le régime légal qui est celui de la *société d'acquêts.*

En vertu de ce régime, les biens que possédaient les époux avant le mariage leur restent propres. Ils peuvent en faire ce qu'ils veulent. Les biens acquis pendant le mariage par chaque époux sont des acquêts pour celui-ci. Chaque époux peut disposer à son gré de ses acquêts.

La société d'acquêts se dissout par le décès de l'un des époux, le changement conventionnel de régime, le jugement qui prononce le divorce, la séparation de biens ou la séparation de corps, ou encore par l'absence de l'un des époux, c'est-à-dire sa disparition sans que l'on connaisse son sort.

Par contre, les conjoints peuvent décider de choisir un autre régime matrimonial, par contrat de mariage. Deux régimes sont populaires au Québec. Il s'agit de la *communauté de biens* et de la *séparation de biens.*

La loi a réglementé le régime de la *communauté de biens* jusque dans les détails. Il n'est donc pas besoin de transcrire dans le contrat de mariage toutes ses dispositions. Les conjoints peuvent l'adopter en déclarant simplement dans le contrat de mariage leur intention de s'y soumettre (art. 1268 C.C.). Les conjoints peuvent évidemment le modifier en convenant de dispositions contraires.

En vertu de ce régime, tous les biens acquis depuis le mariage sont communs aux deux époux. Ce régime donne naissance à trois patrimoines, les propres du mari, les propres de la femme et la communauté, c'est-à-dire les biens qui appartiennent également au mari et à la femme.

Les causes de la dissolution de la communauté sont les mêmes que celles prévues pour la dissolution de la société d'acquêts.

Le mari doit accepter le partage de la communauté. Quant à la femme, elle a le choix entre accepter la communauté ou y renoncer. car si elle l'accepte elle est tenue aux dettes de la communauté.

La femme qui renonce à la communauté reprend cependant ses biens propres.

Dans le régime de la *séparation de biens*, il n'y a que deux patrimoines : les biens du mari et ceux de la femme. Chaque époux a l'administration, la jouissance et la libre disposition de ses biens.

Cependant, il peut advenir au cours d'une longue vie commune que les époux ne soient pas en mesure de déterminer auquel des deux appartiennent certains objets. Dans ce cas, la loi prévoit que ces objets appartiennent aux deux indivisément, à chacun pour moitié.

C'est justement à cause de la simplicité de ce régime que beaucoup de couples québécois le préfèrent aux autres régimes.

LES ENFANTS

La filiation est l'état d'une personne considérée comme enfant dans ses rapports avec son père et sa mère. Il y a deux types de filiation : la filiation légitime et la filiation naturelle.

La filiation légitime, en droit civil québécois, est basée sur la *conception* de l'enfant pendant le mariage; tandis qu'en droit français, moins traditionnel, elle est basée sur la *naissance* pendant le mariage.

L'enfant conçu pendant le mariage est légitime et a pour père le mari. Pour déterminer positivement si la conception a eu lieu pendant le mariage, la loi a pris en considération que les grossesses les plus courtes sont de 180 jours et les grossesses les plus longues de 300 jours. Donc, si l'enfant est né le ou après le 180e jour de la célébration du mariage, ou dans les 300 jours après sa dissolution, il est tenu pour conçu pendant le mariage.

Le mari ne peut pas désavouer l'enfant, à moins que, pendant tout le temps où l'enfant pouvait légalement être présumé avoir été conçu, le mari était, pour cause d'impuissance survenue depuis le mariage, par l'éloignement, ou par suite de tout autre empêchement, dans l'impossibilité physique de rencontrer sa femme (art. 220 C.C.).

Le mari a le droit de désavouer l'enfant né moins de 180 jours après la célébration du mariage; il ne pourra cependant le faire :
— s'il a eu connaissance de la grossesse avant le mariage;
— s'il a assisté à l'acte de naissance qu'il a signé;
— si l'enfant n'est pas déclaré viable.

TABLEAU DES RÉGIMES MATRIMONIAUX

	Séparation de biens	**Société d'acquêts**	**Communauté de biens**
COMPOSITION	Deux patrimoines: Celui du mari, Celui de la femme.	Quatre patrimoines: 1- les propres du mari 2- les acquêts du mari 3- les propres de la femme 4- les acquêts de la femme	Trois patrimoines: 1- les propres du mari 2- les propres de la femme 3- les biens de la communauté
POUVOIRS	Chaque époux administre et dispose librement de ses biens.	Chaque époux administre et dispose librement de ses propres et de ses acquêts (sauf disposition gratuite des acquêts où le consentement du conjoint est nécessaire).	**Les propres:** Chaque époux a l'administration et la disposition de ses propres. **La masse commune** (la communauté) **Administration :** le mari, seul. **Disposition:** Meubles: le mari seul; Immeubles: avec le concours de sa femme.
DISSOLUTION	Chaque époux conserve ses biens. Les biens sur lesquels aucun des époux ne peut justifier d'une propriété exclusive appartiennent aux deux indivisément à chacun pour moitié.	**Propres:** chaque époux conserve les siens. **Acquêts:** Chaque époux a la faculté d'accepter tacitement ou expressément le partage des acquêts de son conjoint (pour en prendre la moitié) ou d'y renoncer par acte notarié ou déclaration judiciaire.	**Propres:** chaque époux conserve les siens. **La communauté:** Après paiement des dettes, le surplus se partage par moitié entre les époux ou ceux qui les représentent. La femme a la faculté d'accepter ou de renoncer à la communauté.
PAIEMENT DES DETTES	Chaque époux est responsable de ses dettes.	Chaque époux est tenu sur ses propres et sur ses acquêts, des dettes nées de son chef avant ou pendant le mariage.	Chaque époux peut être poursuivi pour la totalité des dettes entrées en communauté de son chef. Chacun des époux peut être poursuivi jusqu'à concurrence de son émolument, pour la moitié des dettes entrées en communauté du chef de son conjoint. La femme renonçante est déchargée des dettes de la communauté mais reste tenue des dettes personnelles.

Le délai pour le désaveu est de deux mois. Si le mari n'était pas sur les lieux lors de la naissance, il a deux mois pour désavouer l'enfant à partir de la date de son retour. Si on lui a caché la naissance, le délai est de deux mois à partir de la date à laquelle il aura pris connaissance de la naissance.

Voici quelques exemples pour illustrer ces principes :
— Un enfant est né pendant le mariage, le 180e jour (ou au-delà) à compter du jour de la célébration du mariage. Il est présumé avoir été conçu pendant le mariage. C'est un enfant légitime.
— Un enfant est né pendant le mariage, mais avant le 180e jour qui suit la célébration du mariage. Il n'a donc pas été conçu pendant le mariage, la plus courte grossesse étant de 180 jours. C'est un enfant illégitime (naturel), à moins que le mari ne signe l'acte de naissance. Dans ce dernier cas, nous avons vu qu'il ne pourra plus désavouer.
— Un enfant est né après la dissolution du mariage. S'il naît au plus tard le 300e jour à dater de la dissolution du mariage, il est présumé conçu dans le mariage. Mais, s'il naît à partir du 301e jour, il est présumé conçu après la dissolution et, par là, illégitime.

La filiation naturelle. C'est la filiation résultant d'une conception hors mariage. Les enfants naturels nés hors mariage, s'ils ne sont pas le fruit d'une œuvre incestueuse, peuvent être légitimés par le mariage subséquent de leurs père et mère. Ils ont alors les mêmes droits que s'ils étaient nés de ce mariage.

L'adoption crée un lien de *filiation* entre l'adoptant et l'adopté. La loi a consacré le principe fondamental qui veut que l'adoption ait lieu dans l'intérêt de l'enfant. Ce dernier deviendra, à tous égards et sans restrictions, l'enfant légitime de ses parents adoptifs.

L'adoption est prononcée par décision judiciaire. Le tribunal compétent est la Cour de bien-être social. La Loi de l'adoption a prévu les conditions requises pour adopter et pour être adopté.

L'enfant doit être placé auprès d'une personne qui désire l'adopter et qui peut l'adopter. Après six mois de ce placement, une requête en adoption peut être présentée à la Cour de bien-être social. C'est à cette dernière qu'il appartient, après enquête et instruction à huis clos, de rendre le jugement d'adoption.

Un certificat du jugement d'adoption est émis pour permettre la constatation officielle de l'adoption dans les registres de l'état civil. L'adopté a maintenant, à tous égards, une nouvelle famille.

Le projet de l'Office de révision du Code civil a voulu éliminer les distinctions faites dans le droit actuel entre l'enfant légitime, légitimé, naturel simple, adultérin et incestueux.

Il est convaincu qu'il est indispensable de reconnaître à tous les enfants des droits égaux quelles que soient les circonstances de leur naissance.

L'article 130 du projet se lit comme suit :
Tous les enfants ont, dans la mesure où leur filiation est établie, les mêmes droits et les mêmes obligations à l'égard de leurs parents et de la famille de ces derniers.

Cet article consacre, disent les auteurs du projet (Rapport sur la famille, première partie, vol. XXVI, page 348), le principe essentiel de la réforme suivant lequel tous les enfants, quelles que soient les circonstances de leur naissance, sont sur le même pied et ont des droits égaux à l'égard de leurs auteurs et de la famille de ces derniers.

Ils ajoutent :
les distinctions traditionnelles entre l'enfant légitime et l'enfant naturel seraient ainsi abolies. Par conséquent, la règle suivant laquelle l'enfant naturel reconnu n'a de lien de parenté qu'avec le parent qui l'a reconnu et ne peut hériter ab intestat serait éliminée.

SÉPARATION DE CORPS ET DIVORCE

Le mariage n'est pas toujours un succès. Le lien matrimonial peut être relâché ou complètement brisé. Il est relâché dans le cas du jugement en séparation de corps, alors qu'il est dissous par le divorce.

Les causes de la séparation sont sensiblement les mêmes que celles du divorce. Notons cependant que la séparation de corps fait l'objet d'une loi provinciale, étant intégrée au Code civil, tandis que le divorce fait l'objet d'une loi fédérale : la Loi sur le divorce.

SÉPARATION DE CORPS

Les causes de la séparation de corps sont prévues aux articles 187 et suivants du Code civil. Ce sont : l'adultère, les excès, sévices et injures graves de l'un envers l'autre, et le refus du mari de recevoir sa femme et de lui fournir les choses nécessaires à la vie, suivant son état, sa condition et ses moyens.

On ne peut pas se séparer d'un commun accord, car si l'on veut que la séparation soit décrétée par le tribunal il faudra faire la preuve devant le juge de l'une des causes prévues au Code civil.

Effets de la séparation de corps. La séparation de corps ne met pas fin au lien conjugal. Les époux demeurent mari et femme. Le devoir de fidélité subsiste, ainsi que toutes les autres obligations du mariage, sauf celle de cohabiter.

CAS PRATIQUES

Micheline et Joseph veulent se séparer. Micheline ne travaille pas, et le couple a quatre enfants. Micheline a demandé la séparation de corps. Comment vivra-t-elle pendant l'instance, c'est-à-dire en attendant que sa cause soit entendue par le tribunal?

Micheline présentera à la Cour une requête pour mesures provisoires. Dans cette requête, elle demandera à la Cour trois choses :
— l'autorisation du tribunal d'avoir un domicile séparé de celui de son mari, car, nous le savons, l'article 83 du Code civil dit que "la femme non séparée de corps n'a pas d'autre domicile que celui de son mari";
— une pension alimentaire que son mari devra lui verser pour son entretien et celui de ses quatre enfants;
— la garde légale de ses quatre enfants.

La pension alimentaire est fixée par le tribunal eu égard aux moyens du mari et aux besoins de la femme et des enfants. Quant à la garde des enfants, elle est accordée selon les circonstances dans l'intérêt des enfants.

●

Marie-Claire et Gilles sont en instance de séparation de corps. Ont-ils besoin de l'autorisation du tribunal s'ils veulent se réconcilier?

Non, l'action en séparation de corps est éteinte, dit l'article 196 du Code civil, par la réconciliation des époux.

LE DIVORCE

Les causes du divorce. Le divorce dissout le mariage pour les causes énoncées par la Loi fédérale sur le divorce. Les principales causes sont : l'adultère, les cas de sodomie, bestialité, viol ou homosexualité, la cruauté physique ou mentale, la non-consommation du mariage, la séparation de fait pendant trois ans, l'absence de l'intimé, ou quand l'intimé s'est adonné, pendant trois ans, avec excès à l'alcool ou à un stupéfiant.

Les formalités. Le tribunal saisi de la requête doit, d'abord, voir s'il y a ou non possibilité de réconciliation. Il doit refuser de prononcer un jugement uniquement fondé sur le consentement de l'intimé ou les admissions (l'intimé admet avoir commis l'adultère, par exemple). Le juge doit s'assurer qu'il n'y a pas eu collusion entre les deux époux relativement à la requête et *rejeter la requête s'il découvre qu'il y avait collusion dans sa présentation ou sa poursuite.*

Les mesures provisoires. Elles sont les mêmes que pour la séparation de corps.

Le jugement conditionnel. Le jugement de divorce est, en premier lieu, un jugement conditionnel. Il peut être accompagné d'ordonnances accessoires relatives à l'entretien du conjoint ou à la garde des enfants. Ce jugement ne dissout pas le mariage. Le délai d'appel est de quinze jours.

Le jugement irrévocable. C'est le jugement qui va définitivement dissoudre le mariage. Pour que le jugement conditionnel devienne irrévocable, la loi exige deux conditions :
— expiration d'un délai de trois mois depuis le jour où le jugement conditionnel a été prononcé;
— épuisement de tous les droits d'appel du jugement conditionnel.

En ce qui concerne la première condition, le tribunal peut l'écourter en cas de circonstances spéciales. Quant à la deuxième condition, elle peut disparaître si les époux s'engagent à ne pas interjeter appel.

Effets du divorce. Le divorce dissout le mariage à partir de la date du jugement irrévocable. Les époux peuvent contracter un second mariage. La femme reprend son nom de jeune fille et elle n'est plus domiciliée chez son ex-mari. Les liens d'alliance avec la famille du conjoint disparaissent. Le régime matrimonial est dissous.

Les mesures provisoires s'éteignent. La loi autorise le juge à statuer sur la garde des enfants et à ordonner à l'un des époux de verser pour l'entretien de l'autre époux et des enfants les sommes qu'il estime raisonnables. Il ne s'agit plus de pension alimentaire pour l'autre époux puisque avec la rupture définitive du lien matrimonial disparaît le devoir de pourvoir à la subsistance de l'ex-conjoint. Il s'agit plutôt d'une pension à caractère indemnitaire.

CAS PRATIQUES

Ginette a obtenu un jugement conditionnel de divorce. Elle a décidé de se réconcilier. Peut-elle le faire?

Oui, le mariage n'est pas dissous par le jugement conditionnel de divorce, mais seulement par le jugement irrévocable.

Gisèle, au moment de son divorce, a obtenu la garde de ses deux enfants, Michel et Josée. Aujourd'hui son mari pourrait-il demander une nouvelle ordonnance de la Cour lui accordant la garde de ses enfants?

Oui, car l'ordonnance de la Cour est toujours temporaire tant que les circonstances ne changent pas. Le mari pourra demander la garde de ses enfants s'il fait la preuve que Gisèle ne peut plus s'en occuper.

●

Claudette a obtenu une pension alimentaire de $125 par semaine que lui verse régulièrement son mari, Philippe. Aujourd'hui Philippe a perdu son emploi; pourra-t-il demander l'abolition de la pension?

Oui, l'ordonnance de pension alimentaire tient toujours compte des moyens de l'un et des besoins de l'autre. Cependant, Claudette pourra demander de nouveau une pension alimentaire quand Philippe aura trouvé du travail.

Chapitre 3

Les biens

MEUBLES ET IMMEUBLES

La loi distingue deux catégories de biens : les biens meubles et les biens immeubles. Les biens meubles et immeubles peuvent être corporels ou incorporels.

Les biens corporels sont des biens matériels, qui peuvent être touchés ou qui tombent sous les sens : une table, une chaise, une fenêtre, le parfum d'une fleur.

Les biens incorporels sont des biens immatériels, qui ne peuvent pas être touchés et qui ne tombent pas sous les sens. C'est l'ensemble des droits : de propriété, de créance, d'usufruit, etc.

Les biens meubles sont les biens qui se meuvent ou qu'on peut déplacer ou transporter. Une automobile, un animal, une machine sont des biens meubles corporels. Le droit de propriété, le droit de créance sont des biens incorporels meubles.

Les biens immeubles sont des biens qu'on ne peut pas transporter ou qui ne peuvent se mouvoir. Un bâtiment, une ferme, une usine sont des biens immeubles corporels, immeubles parce qu'on ne peut pas les transporter, corporels parce qu'on peut les voir, les toucher. Le droit de location ou d'habitation est un bien immeuble incorporel, immeuble parce que son objet est un immeuble, incorporel parce que c'est un bien créé par la loi et qu'on ne peut ni le voir ni le toucher.

LES IMMEUBLES

On distingue les immeubles par leur nature, les immeubles par leur destination, les immeubles par l'objet auquel ils s'appliquent, ou les droits immobiliers.

Les immeubles par leur nature sont les biens qui sont immobiles ou intransportables sans détérioration : les terrains, les bâtiments, etc.

Les machines affectées à l'exploitation d'une usine, les machines agricoles, les fumiers, les engrais et les pailles affectés à l'exploitation de la ferme par le propriétaire de cette dernière, sont des **biens immeubles par destination.**

De quel usage pour son propriétaire pourrait être une usine dont on aurait saisi les machines? À quoi servirait une ferme privée de tous les accessoires nécessaires à son exploitation? En servant un immeuble, ces biens meubles par nature ont acquis la qualité d'immeuble pour n'en plus être séparés. Mais, si l'affectation venait à cesser, le bien redeviendrait meuble et serait alors traité comme tel. Si je vends une machine, l'affectation à mon usine vient de cesser et la machine redevient un bien meuble.

L'habitation d'un immeuble est un **droit immobilier** parce que son objet, l'objet de ce droit, est un immeuble.

Il y a des droits immobiliers, des biens immeubles.

LES MEUBLES

Les meubles sont tous les biens qui ne sont pas immeubles.

Le sens légal du mot "meubles". Quand, dans une loi ou dans un acte, le mot "meubles" est employé seul, il ne comprend pas l'argent comptant, les pierreries, les dettes actives (ce qu'autrui me doit), les livres, les médailles, les instruments des sciences, arts et métiers, le linge de corps, les chevaux, équipages, armes, grains,vins, foins et autres denrées, non plus que les choses qui font l'objet d'un commerce.

Quant à l'expression "meubles meublants", elle ne comprend que les meubles destinés à l'usage et à l'ornement des appartements comme tapisseries, lits, sièges, tables, appareils ménagers et autres objets de cette nature.

Cependant si un collectionneur d'œuvres d'art a chez lui une galerie de tableaux célèbres ou de toutes autres œuvres d'art (statues, timbres, etc.), ces œuvres ne font pas partie des meubles meublants.

Ont le même sens que l'expression "meubles meublants", les termes "biens meubles", "mobilier" et "effets mobiliers".

La vente ou le don d'une maison meublée ne comprend que les meubles meublants, tandis que la vente ou le don d'une maison avec tout ce qui s'y trouve comprend tous les autres effets mobiliers à l'exception de l'argent comptant, des dettes actives et des autres droits dont les titres peuvent se trouver dans la maison.

Cette distinction entre biens meubles et biens immeubles n'est pas seulement théorique. En voici quelques effets :

— les formalités de la saisie des immeubles sont plus compliquées et entraînent des délais plus longs que ceux auxquels est soumise la saisie des meubles;

— en principe, seuls les immeubles peuvent être hypothéqués;

— en matière de prescription, le délai est plus long pour les immeubles (le plus court est de 10 ans et le plus long de 30 ans) que pour les meubles (3 ans);

— l'aliénation des meubles est plus facile que celle des immeubles. Ainsi, par exemple, le tuteur ne peut aliéner ou hypothéquer les immeubles du mineur sans l'autorisation du tribunal, sur avis du conseil de famille;

— en cas de mariage en communauté de biens, les époux ne peuvent unilatéralement aliéner les immeubles de la communauté;

— la publicité est requise par la loi seulement en cas de transactions ayant pour objet des immeubles. Ainsi, tout acte transférant la propriété d'un immeuble doit être enregistré;

— certains droits civiques (vote municipal) et obligations fiscales (taxe scolaire, fabriques) sont souvent limités aux propriétaires d'immeubles.

LA PROPRIÉTÉ

La propriété est le droit de jouir et de disposer des choses de la manière la plus absolue, pourvu qu'on n'en fasse pas un usage prohibé par les lois ou les règlements.

Le droit de propriété est sacré, inviolable, et nul n'est obligé de céder ce droit absolu si ce n'est pour des considérations d'ordre public ou d'intérêt public. Construire une voie ferrée, une autoroute, un aérodrome international (e.g. Sainte-Scolastique) sont des considérations d'intérêt public qui permettent aux autorités d'exproprier à condition d'indemniser le propriétaire. La loi l'a prévu clairement : "Nul ne peut être contraint de céder sa propriété, si ce n'est pour cause d'utilité publique et moyennant une juste et préalable indemnité." (art. 407 C.C.).

Les trois éléments du droit de propriété sont : l'*usus*, qui est le droit d'usage de la chose, le *fructus*, qui est le droit de percevoir les fruits que la chose produit, et l'*abusus*, qui est le droit de disposer de la chose.

Par exemple, s'il s'agit de la propriété d'une vache, l'usage consistera à l'employer comme bête de trait, les fruits en seront le lait et les petits qu'elle mettra au monde, enfin l'abusus sera le droit du propriétaire de l'aliéner par vente ou don, ou encore de la tuer.

Il faudrait s'arrêter ici pour faire une distinction entre propriété et possession. La propriété est un droit tandis que la possession est un fait. On peut être propriétaire sans être possesseur et on peut être possesseur sans être propriétaire. Sommairement, le possesseur est la personne qui, de bonne foi, exerce sur une chose un droit de propriétaire, sans être réellement propriétaire. Un exemple s'impose :

Jean vend à Jacques la vache de Pierre. Ce dernier reste propriétaire de la vache mais il n'en a pas la possession puisqu'elle a été remise à Jacques. Jacques, convaincu que Jean est le propriétaire, est de bonne foi. Il a donc la possession sans avoir la propriété. Il est indispensable que Jacques ait été de bonne foi. En revanche, s'il savait que Jean n'était pas le propriétaire de la vache, il n'en aurait pas la possession.

Posséder une chose, c'est donc, **de bonne foi**, l'avoir à sa disposition et sous la main avec la faculté physique et matérielle de faire sur elle des actes de propriétaire. C'est cette puissance de fait qui constitue la possession.

L'USUFRUIT

L'usufruit est le droit de jouir des choses dont on n'a pas la propriété. La propriété qui est privée de ce droit de jouissance s'appelle la nue-propriété : Jacques donne à Fernand l'usufruit de ses biens. Jacques n'a plus que la nue-propriété de ses biens.

L'usufruitier est le bénéficiaire de l'usufruit. Il a le droit de jouir de toute espèce de fruits naturels, industriels ou civils que peut produire l'objet dont il a l'usufruit.

Ainsi, l'usufruit d'une maison donne à l'usufruitier le droit de l'habiter, de la louer et d'en percevoir le loyer pendant toute la durée de l'usufruit.

L'usufruitier peut, non seulement jouir par lui-même de son droit, mais le louer et même le vendre ou le céder à titre gratuit. Il devra cependant respecter l'échéance de son droit d'usufruit.

Paul donne l'usufruit de sa maison à Jacques pour une durée de dix ans. Jacques peut habiter la maison. Il peut la louer et en percevoir le loyer. Il peut vendre à un tiers son droit d'usufruit. Il peut même céder ce droit gratuitement. En d'autres termes, Jacques devient une espèce de propriétaire provisoire pour une période de dix ans.

Mais s'il a les mêmes droits que le propriétaire, l'usufruitier qui découvre un trésor (une mine, du pétrole, etc.) en effectuant des fouilles n'aura aucun droit sur ce trésor (art. 461 C.C.).

Les frais d'entretien sont à la charge de l'usufruitier. De plus, il ne pourra pas réclamer au propriétaire une indemnité pour les améliorations qu'il aura faites, même si la valeur de la chose en était augmentée.

L'usufruitier doit dresser, en présence du propriétaire, un inventaire des biens meubles et un état des immeubles dont il est appelé à jouir.

Il donne caution de n'en jouir qu'en bon père de famille. Il n'est tenu qu'aux réparations d'entretien. Les grosses réparations (murs, voûtes, poutres, couvertures et digues) demeurent à la charge du propriétaire.

Au cas où l'objet de l'usufruit subit un dommage causé par un tiers, l'usufruitier est tenu de le dénoncer au nu-propriétaire, faute de quoi il est responsable du dommage.

Les principales causes qui mettent fin à l'usufruit peuvent être résumées comme suit :
— la mort naturelle de l'usufruitier;
— l'expiration du terme de l'usufruit;
— la consolidation ou la réunion sur la même tête des deux qualités d'usufruitier et de propriétaire. C'est le cas où l'usufruitier achète l'objet du propriétaire ou reçoit l'objet du propriétaire par testament ou par donation;
— le non-usage du droit d'usufruit pendant 30 ans et son acquisition prescriptive par un tiers;
— la perte totale de la chose : j'ai l'usufruit d'une vache et elle meurt, ou d'une maison et elle brûle;
— l'abus que l'usufruitier fait de sa jouissance, soit en commettant des dégradations sur l'objet, soit en le laissant dépérir faute d'entretien.

Si l'usufruit est accordé jusqu'à ce qu'un tiers ait atteint un âge fixé, l'usufruit prend fin à cette époque même si le tiers en question est mort avant l'âge fixé.

Paul qui a un fils, Pierre, donne à Jacques l'usufruit de sa maison jusqu'à ce que Pierre ait 21 ans. Mais Pierre meurt subitement avant d'avoir atteint l'âge fixé. L'usufruit va durer jusqu'à l'époque à laquelle Pierre, s'il n'était pas mort, aurait atteint l'âge de 21 ans.

La vente de l'objet n'affecte pas le droit de l'usufruitier qui continue à jouir de la chose jusqu'au terme prévu. Paul donne à Jacques l'usufruit de son automobile pour une période de deux ans. Entre-temps, Paul vend la voiture. L'acheteur n'aura que la nue-propriété de la voiture et ne pourra en jouir jusqu'à l'écoulement des deux ans, à moins que Jacques n'y renonce.

LE DROIT D'USAGE ET LE DROIT D'HABITATION

L'usage est le droit de se servir de la chose d'autrui et d'en percevoir les fruits, mais seulement jusqu'à concurrence des besoins de l'usager et de sa famille. Le droit d'habitation est le droit d'usage appliqué à une maison. C'est en somme un usufruit réduit aux besoins du bénéficiaire. Ainsi, celui qui jouit d'un droit d'habitation sur une maison doit y habiter lui-même avec sa famille, mais il ne peut pas louer à autrui. De même, celui qui a un droit d'usage n'a de droit que sur les fruits dont il a besoin et il ne pourra pas vendre le surplus ni en disposer.

Contrairement à l'usufruit, le droit d'usage ou d'habitation ne peut être ni vendu ni cédé.

Chapitre 4

Les obligations civiles

L'obligation est un lien de droit par lequel une personne est astreinte envers une autre à donner, à faire ou à ne pas faire quelque chose.

Celui qui doit remplir une obligation s'appelle le *débiteur*, et celui qui est en droit d'exiger son exécution s'appelle le *créancier*. Aux termes débiteur et créancier correspondent les termes *dette* et *créance*.

LES DIVERSES ESPÈCES D'OBLIGATIONS

On peut diviser les obligations en plusieurs espèces dont les plus importantes sont les obligations conditionnelles, les obligations à terme, les obligations alternatives, les obligations solidaires, les obligations divisibles et indivisibles et les obligations avec clause pénale.

Les obligations conditionnelles. Ce sont les obligations qui dépendent d'un événement futur et incertain.

Paul dit à Jacques : "Je te donne ma voiture si les *Canadiens* remportent la Coupe Stanley en 1978." Jacques accepte.

La condition ne doit pas être contraire à la loi ou aux bonnes mœurs. L'obligation est nulle si la réalisation de la condition dépend de la personne qui la pose : "Je te vendrai mon bateau en avril, si tel sera alors mon bon plaisir." Cette condition est dite *potestative.*

Les obligations à terme. Ce sont celles dont l'exécution est fixée à une date ultérieure.

Les obligations alternatives. Deux choses font l'objet d'une obligation et le débiteur se réserve le droit de choisir entre l'une et l'autre (art. 1093 C.C.). C'est le cas du débiteur qui se réserve le droit de payer soit en espèces soit en nature.

Les obligations solidaires. La solidarité peut exister entre les créanciers, comme elle peut exister entre les débiteurs :
— *solidarité des créanciers :* chacun d'eux peut exiger l'exécution de l'obligation en entier. Le débiteur peut payer, selon son choix,

à n'importe lequel des créanciers solidaires;
— *solidarité des débiteurs :* ils sont obligés à une même chose et chacun d'eux peut être séparément contraint à l'exécution intégrale de l'obligation, quitte à exercer ensuite son recours (action récursoire) contre les autres débiteurs.

Trois frères achètent une maison et se déclarent solidaires. On pourra les poursuivre séparément pour le prix entier de la maison et non pas pour le tiers seulement. Celui des frères qui aura acquitté le prix de la maison pourra réclamer à chacun de ses frères le tiers du prix représentant sa quote-part dans la dette.

La solidarité ne se présume pas, mais doit être expressément stipulée, à moins d'un texte de loi prévoyant la solidarité de plein droit. Exemple d'une solidarité *de plein droit* : le prêt à usage. "Si plusieurs ont emprunté conjointement la même chose, ils en sont solidairement responsables envers le prêteur." (art. 1772 C.C.). Notons cependant que la solidarité se présume toujours en matières commerciales.

Les obligations divisibles et indivisibles. Une obligation est divisible quand son objet est susceptible de division. Elle est indivisible quand son objet est indivisible.

L'obligation de payer une somme d'argent est divisible puisque l'objet est susceptible d'être livré par parties. L'obligation du vendeur de livrer une automobile est indivisible parce que l'objet de l'obligation (l'automobile) n'est pas divisible. Le vendeur ne pourra pas livrer des parties successives de l'automobile.

Les conséquences pratiques de la distinction entre obligations divisibles et obligations indivisibles sont de grande importance. Si plusieurs personnes promettent une chose divisible, elles sont réputées avoir promis une portion de la chose proportionnellement à leur nombre. Ainsi si quatre personnes ont promis un montant de mille dollars, chacune d'elles sera débitrice du quart, c'est-à-dire de deux cent cinquante dollars.

Mais si ces quatre personnes avaient promis quelque chose d'indivisible, elles seraient, chacune individuellement, responsables de la chose. Si par exemple l'objet de l'obligation est un droit de passage le bénéficiaire du droit peut en exiger l'exécution de chacune des quatre personnes.

Jacques meurt avec une dette de $3 000 et laisse trois héritiers. Chacun des héritiers devra payer $1 000 et le créancier ne pourra pas exiger la totalité de la somme de l'un des trois héritiers. On suppose ici que les trois héritiers ont accepté la succession.

Jacques meurt après avoir accordé un droit de passage à son voisin Jules. Jules pourra poursuivre n'importe lequel des trois héritiers pour exiger l'exécution du droit de passage.

Les obligations avec clause pénale. La clause pénale est une obligation secondaire à laquelle s'engage le débiteur de l'obligation principale en guise de sanction en cas d'inexécution de l'obligation principale.

Jacques vend sa voiture à Robert pour un montant de $2 000 payable en dix versements de $200. Le contrat de vente stipule que si Robert néglige un versement tous les versements ultérieurs deviennent immédiatement exigibles. En d'autres termes, Robert perd le bénéfice du crédit s'il néglige de payer un des dix versements au terme. C'est donc là une sanction, une pénalité et la clause qui la prévoit s'appelle la clause pénale.

Prenons un autre exemple. Jacques s'engage à acheter la voiture de Richard. L'accord stipule que si dans un délai de dix jours Jacques n'a pas acheté la voiture il devra payer à Richard une somme de $100 : c'est la pénalité.

Si pour une raison ou pour une autre, l'obligation principale est nulle, l'obligation secondaire l'est aussi. La clause pénale est donc nulle si l'obligation qu'elle accompagne est nulle.

LES SOURCES DES OBLIGATIONS

Comment naît une obligation? Elle peut naître de l'une des sources suivantes : le contrat, le quasi-contrat, le délit, le quasi-délit ou la loi.

LE CONTRAT

Le contrat est l'accord de deux ou plusieurs volontés. C'est un acte juridique créateur d'obligations.

Le contrat est *consensuel* lorsque le simple consentement des parties suffit à sa formation. Exemples : la vente, le bail, le mandat.

Le contrat est *solennel* lorsque la loi exige une forme particulière à sa conclusion. Ainsi, le contrat de mariage, la donation immobilière et l'hypothèque doivent nécessairement être passés devant notaire.

Le contrat est *réel* lorsqu'il n'est complet que par la délivrance de la chose qui en est l'objet. Exemples : le dépôt, le don manuel.

Le contrat est *onéreux* lorsqu'il assujettit chacune des parties à une prestation. Exemples : l'assurance, la société, la vente.

Le contrat est *à titre gratuit* lorsque l'une des parties procure un avantage à l'autre, sans contrepartie. Exemples : la donation entre vifs, le prêt d'argent sans intérêt, le mandat (sauf convention contraire), l'hébergement, le transport bénévole (sur le pouce).

Conditions de validité des contrats. Quatre éléments sont nécessaires pour qu'un contrat soit valide : la capacité juridique des parties, le consentement légalement donné, une cause, et un objet licite et possible.

Dans les contrats consensuels, l'écriture n'est pas une condition de validité, mais une exigence pratique de preuve. Cependant, les contrats régis par la Loi de la protection du consommateur (L.Q. 1971, c. 74) doivent être consignés dans un écrit rédigé au moins en double et en français, sauf si le consommateur exige que le contrat soit rédigé en anglais. Les contrats régis par cette loi sont les contrats assortis d'un crédit et notamment la vente à tempérament lorsque ces contrats sont conclus entre un commerçant et un consommateur.

La capacité légale de contracter. Nous avons déjà étudié la capacité d'exercice en général. Notons qu'en matière de contrats, l'incapacité des mineurs et des interdits est établie en *leur faveur :* leurs cocontractants capables ne peuvent pas, pour annuler le contrat, invoquer l'incapacité de l'autre partie.

Le consentement. Le contrat étant un *acte juridique*, l'obligation qui en découle prend nécessairement sa source dans la volonté des contractants. Le consentement n'est pas seulement la volonté des contractants, il faut qu'il y ait accord des volontés. Cet accord doit porter sur toutes les conditions du contrat, sur l'objet du contrat, les modalités du paiement, etc.

Si Émile dit à Alfred : "Je te vends ma voiture pour deux mille dollars" et qu'Alfred répond : "J'accepte pour mille dollars", il n'y a pas contrat parce qu'il n'y a pas eu accord des volontés. Si, par exemple, le vendeur veut vendre au comptant et l'acheteur acheter à crédit, il ne peut y avoir accord de volontés.

Pour être valable, le consentement doit être libre de tout vice. Le consentement est dit vicié en cas d'erreur, de dol, de violence ou de lésion. Étudions succinctement ces quatre vices du consentement :

— *L'erreur.* Il y a plusieurs sortes d'erreurs :

— *l'erreur sur la nature du contrat.* Paul est dans l'embarras, je lui dis : "Je te donne $100 pour te dépanner." Il accepte, étant convaincu d'après ma phrase que c'est une donation. Mais moi je n'ai voulu que lui prêter cet argent. Le contrat est-il en définitive une donation ou un prêt? Ni l'un ni l'autre puisque à cause de l'erreur il n'y a pas eu accord des volontés;

— *l'erreur sur l'identité de l'objet.* Prenons le cas de la vente d'un cheval. Le vendeur voulait se défaire d'un cheval en particulier, mais c'est un autre qu'avait en vue l'acheteur. Il n'y a pas de consentement, puisqu'il n'y a pas accord; c'est un malentendu, pas un contrat;

—*l'erreur sur la substance de l'objet.* C'est une erreur sur les qualités de la chose. On ne prendra en considération que les qualités que la personne a eues principalement en vue lorsqu'elle a donné son consentement, celles sans lesquelles elle n'aurait pas contracté. Je veux des chandeliers en argent. On m'en vend en cuivre argenté, de bonne foi, soit que je ne me sois pas fait comprendre, soit que le vendeur les ait crus en argent;

— *l'erreur sur la personne.* Elle ne vicie pas le consentement dans les contrats où l'identité de l'autre partie est indifférente. Il importe peu au commerçant de vendre ses produits à Jacques plutôt qu'à Robert. En revanche, il est des contrats où l'identité de la personne joue un rôle primordial. Par exemple, le bail (choix du locataire), le mandat (choix du mandataire), le don (choix du donataire), etc.

— *Le dol.* On appelle "dol" toute tromperie commise dans la conclusion des actes juridiques. On l'appelle aussi fraude.

La fraude suppose le recours à des artifices, des ruses. Pour vendre sa voiture à Jacques à un prix élevé, Robert fausse le compteur de kilométrage et prétend que la voiture n'a fait que vingt-cinq mille kilomètres alors qu'en réalité elle en a parcouru cinquante mille.

Pour que la fraude vicie le consentement, il faut que les manœuvres soient telles que, si l'autre partie avait connu la vérité, elle n'aurait pas contracté. Ainsi, s'il est prouvé que Jacques aurait quand même acheté la voiture au même prix s'il avait su que la voiture avait fait cinquante mille kilomètres, le consentement ne saurait être considéré comme vicié.

— *La violence.* Il y a violence quand on impose à quelqu'un la conclusion d'un acte sous la menace directe d'un mal considérable, présent ou futur, pour lui ou pour l'un de ses proches. Signer un contrat un revolver dans le dos vicie le consentement. On ne peut pas dire que le consentement est libre.

— *La lésion.* C'est le préjudice qu'éprouve l'une des parties d'une inégalité de valeur entre les prestations. Si je paie cinquante dollars une montre qui n'en vaut que cinq, je suis lésé. Il y a lésion.

Toutefois, le majeur non interdit victime de ce préjudice ne pourra pas considérer son consentement comme vicié. C'était à lui de réfléchir avant de contracter. La lésion ne sera prise en considération que s'il s'agit d'un mineur ou d'un interdit.

S'il s'agit d'un majeur non interdit consommateur, ce dernier pourra invoquer lésion en vertu de l'article 118 de la Loi de la protection du consommateur, qui se lit comme suit : "Tout consommateur dont le commerçant a exploité l'inexpérience peut demander la nullité du contrat ou la réduction de ses obligations si celles-ci sont considérablement disproportionnées par rapport à celles du commerçant."

La cause du contrat. Il faut que le contrat ait une cause ou une considération licite. La cause est l'avantage ou la contrepartie que chaque contractant va recevoir. La considération est illégale quand elle est prohibée par la loi ou contraire aux bonnes mœurs ou à l'ordre public.

JURISPRUDENCE

Fernand achète de Denis un terrain dans le but de l'utiliser comme dépotoir. Avant la vente, le terrain était déjà exploité comme dépotoir municipal et Denis disposait des déchets par combustion.

Peu après sa prise de possession, un inspecteur sanitaire informe Fernand qu'il est interdit de brûler les déchets et qu'il doit procéder par la méthode de l'enfouissement sanitaire.

Fernand fait effectuer des travaux et on découvre une nappe d'eau trop superficielle pour permettre de pratiquer cette méthode. Il apprend aussi qu'à la date du contrat, c'est par simple tolérance que la municipalité permettait à Denis de brûler les vidanges déposées sur son terrain.

Denis savait que Fernand se portait acquéreur de ce terrain dans l'intention de l'exploiter comme dépotoir. Or, étant donné la loi et les règlements en vigueur sur les méthodes de disposition des vidanges, le terrain ne pouvait pas servir aux fins pour lesquelles Fernand l'avait acquis, d'où absence de la cause du contrat.

Fernand demande au tribunal d'annuler la vente. Il allègue l'absence de la cause. Le tribunal lui donne raison et annule le contrat (1975 C.S. 439).

La chose qui est l'objet du contrat doit :
— être dans le commerce. On ne peut pas, par exemple, vendre valablement des biens volés;
— être déterminée. Paul vend à Georges un animal. Il n'a pas déterminé s'il s'agit d'un âne, d'un chien, d'un serin ou d'un cheval;
— être possible. À l'impossible, nul n'est tenu! Pierre, contracteur, s'engage à construire un tunnel de Québec à Lévis en un jour. La chose n'est pas faisable;
— être licite. Pierre s'engage à écouler des faux billets. C'est illicite.

Dans les contrats à titre onéreux, il n'est pas indispensable que la chose soit présente; elle peut être future. Les ventes commerciales sont fréquemment des ventes de choses futures : les commerçants passent des commandes aux fabricants ou manufacturiers. Souvent l'objet n'existe même pas au moment du contrat et le manufacturier produira en fonction des commandes reçues.

La nullité des contrats. Les principales causes de nullité sont l'incapacité de contracter, l'absence de consentement ou le vice du consentement et l'illégalité ou l'absence de la cause ou de l'objet.

Un contrat nul n'est cependant pas sans effet *automatiquement.* Une action en justice est nécessaire pour faire constater la nullité si une des parties au contrat veut définitivement se libérer de ses obligations.

Le contrat est inexistant dans les cas suivants :
— *absence de consentement.* Il y a absence de consentement quand il y a défaut de volonté consciente (malade mental, ivrogne d'habitude, etc.) ou erreur sur l'identité de l'objet ou sur la nature du contrat;
— *absence d'objet.* Exemple : un contrat de vente dans lequel le prix a été complètement omis;
— *absence de cause et fausse cause :*

— dans les contrats dits synallagmatiques, l'obligation de chacune des deux parties a pour cause l'engagement pris par l'autre. Imaginons un bail qui interdit au locataire l'accès à la chose louée. . .

— dans les contrats réels, comme le prêt, où il n'y a qu'une seule obligation, celle de rembourser, cette obligation prend naissance avec la remise de la chose. C'est cette prestation matérielle qui est la cause du contrat. Si donc il n'y a pas de prestation matérielle, il y a absence de cause;

— dans les contrats gratuits, où il n'y a ni réciprocité d'obligations, ni prestation antérieure, la cause de l'obligation du donateur ne peut être cherchée que dans les motifs de l'intention libérale, c'est-à-dire dans la raison déterminante qui a poussé l'auteur de la donation à la consentir;

— *absence de forme dans les contrats solennels.* Ainsi, par exemple, l'hypothèque (conventionnelle) ne peut être consentie que par un acte en forme authentique.

Ces cas d'inexistence du contrat sont aussi considérés comme des cas de nullité absolue du point de vue pratique, c'est-à-dire du point de vue des effets juridiques.

Cas de nullité absolue. Un contrat est frappé de nullité absolue quand il comporte une atteinte à l'ordre public. Résumons ces cas :

— objet impossible, indéterminable, illicite ou immoral;
— cause illicite ou immorale;
— opposition du contrat à l'ordre public ou aux bonnes mœurs.

Cas de nullité relative. Ce sont les cas où le contrat est entaché d'un vice, dont :

— toute erreur autre que sur l'identité de l'objet ou sur la nature du contrat;
— le dol ou fraude, lorsque sans les manœuvres frauduleuses l'autre partie n'aurait pas contracté;
— la violence et la crainte qu'elle fait naître;
— l'incapacité des mineurs et des interdits.

La nullité absolue a pour fondement l'intérêt public tandis que la nullité relative a pour fondement l'intérêt particulier. On comprend donc aisément les effets qui vont découler de cette distinction entre nullité absolue et nullité relative.

La nullité absolue peut être invoquée par toute personne intéressée.

La nullité relative, en revanche, ne peut être invoquée que par la partie que la loi a voulu protéger, ainsi que par ses héritiers et créanciers. Ainsi, dans le cas des manœuvres frauduleuses, l'auteur des manœuvres ne peut pas invoquer la nullité du contrat. La loi n'a pas voulu protéger l'auteur du dol mais la victime qui, elle seule, pourra invoquer la nullité de l'acte. Si je vends une automobile à un mineur, je ne pourrai pas invoquer la nullité de la vente pour cause d'incapacité de l'autre partie. Mais, le mineur, lui,que la loi a voulu protéger, pourra, par le truchement de son tuteur, invoquer la nullité de l'acte.

C'est pourtant une nullité relative. Le contrat est sujet à confirmation. Par exemple, la loi prévoit que "Nul n'est restituable contre le contrat qu'il a fait durant sa minorité, lorsqu'il l'a ratifié en majorité." (art. 1008 C.C.).

Effets de l'action en nullité. Le principal effet de la nullité est la remise des choses dans le même état que si le contrat n'avait pas été fait :

— si le contrat n'a encore reçu aucune exécution, les parties sont libérées: leurs obligations s'éteignent. Le juge peut condamner une des parties à payer des dommages-intérêts à l'autre;

— si les parties ont déjà exécuté, en tout ou en partie, ce qu'elles s'étaient promis, elles sont tenues de se restituer réciproquement ce qu'elles ont reçu. La partie de bonne foi qui est lésée peut évidemment réclamer des dommages-intérêts.

La responsabilité contractuelle. Les conventions tiennent lieu de loi à ceux qui les ont faites. Cela veut dire que l'observation du contrat s'impose aux parties au même titre que celle des lois et que l'une d'elles ne peut s'y soustraire sans la volonté de l'autre : les contrats ne peuvent être résolus que du consentement des parties, ou pour les causes que la loi reconnaît (art. 1022 C.C.).

La non-exécution par l'un des contractants de l'obligation à laquelle il s'est engagé permet à l'autre contractant d'exiger soit l'exécution de l'obligation, soit la résolution du contrat et des dommages-intérêts (art. 1065 C.C.).

Si l'un des contractants s'est engagé à payer une somme d'argent et qu'il est en défaut, les dommages-intérêts consisteront en un intérêt au taux convenu ou au taux légal de 5 % (art. 1077 C.C.).

JURISPRUDENCE

Une personne confie à une compagnie des bobines de films pour développement. La compagnie perd les bobines. Invoquant la responsabilité contractuelle de la compagnie, le client intente des poursuites contre elle et lui réclame des dommages-intérêts.

La compagnie allègue la clause de non-responsabilité écrite sur la boîte contenant lesdites bobines et prétend qu'elle n'est tenue qu'à remplacer les trois bobines perdues par trois bobines vierges.

Le demandeur jure n'avoir jamais pris connaissance de cette clause qui, au surplus, est rédigée uniquement en anglais contrairement à l'article 33 de la Loi sur la langue officielle (L.Q. 1974, c. 6) qui dit que :

"Doivent être rédigés en français les contrats d'adhésion, les contrats où figurent des clauses types imprimées ainsi que les bons de commande, les factures et les reçus imprimés."

Le tribunal décide donc d'ignorer cette clause de non-responsabilité et condamne la compagnie à payer au client des dommages-intérêts (1975 C. P. 238).

* * *

"N'oubliez pas — en 1970, nous allons au Japon — voyage par avion, tournée du Japon et trois jours à l'Expo '70 — $1 200."

Ayant lu cette annonce publicitaire, la demanderesse paie $1 298 à la défenderesse qui, dans les semaines précédant le départ, annonce l'annulation du voyage.

La demanderesse réclame ses $1 298 ainsi que des dommages. Elle affirme que, dans sa déconvenue, elle a essuyé les ennuis, les tracas, les inconvénients de préparatifs inutiles, le tout formant un préjudice qu'elle évalue à $500. Elle ajoute que la défenderesse lui doit remboursement et indemnité parce qu'elle n'a pas respecté le contrat.

Le tribunal accueille l'action et condamne la défenderesse à payer à la demanderesse la somme de $1 298 et une indemnité de $300 pour les dommages subis par la demanderesse (1975 R.L. 320).

LE QUASI-CONTRAT

L'avantage reçu d'autrui est une source d'obligation. Si l'avantage est reçu par contrat, la source de l'obligation est le contrat lui-même. Mais si l'avantage reçu ne procède pas d'un contrat, c'est-à-dire d'un accord de volontés, alors on dira qu'il y a quasi-contrat. L'avantage peut procéder soit d'une gestion d'affaires, soit du paiement de l'indu, soit d'un enrichissement sans cause.

La gestion d'affaires. Il y a gestion d'affaires toutes les fois qu'une personne accomplit un acte dans l'intérêt et pour le compte d'un tiers sans avoir reçu de mandat de celui-ci.

Mon voisin Jules est en voyage. Sa récolte est menacée par une attaque soudaine d'insectes nuisibles. Je cours emprunter à la banque pour l'achat d'insecticide et je loue un tracteur pour répandre l'insecticide. Malgré l'absence de contrat, je suis en droit de lui réclamer le remboursement des dépenses occasionnées par moi en vue de sauver sa récolte.

La loi stipule clairement que "celui dont l'affaire a été bien administrée doit remplir les obligations que la personne qui agissait pour lui a contractées en son nom, l'indemniser de tous les engagements personnels qu'elle a pris et lui rembourser toutes dépenses nécessaires ou utiles" (art. 1046 C.C.).

Le paiement de l'indu. La personne qui reçoit par erreur ce qui ne lui est pas dû se trouve, par le fait même, obligée de le restituer. Si j'acquitte, par exemple, deux fois la même facture, j'ai le droit de me faire rembourser mon deuxième paiement : on dira que j'ai un droit de répétition contre le créancier.

La loi fait une distinction entre créancier de bonne foi et créancier de mauvaise foi. Si le créancier qui a reçu mon deuxième paiement est de bonne foi il sera obligé de me restituer le deuxième paiement sans autre. Mais s'il était de mauvaise foi, il sera obligé de me rembourser mon deuxième paiement intérêts en sus.

L'enrichissement sans cause. Ici la loi est restée silencieuse mais il est un principe de justice qui veut que personne ne doit s'enrichir aux dépens d'autrui.

LES DÉLITS ET LES QUASI-DÉLITS (LA RESPONSABILITÉ DÉLICTUELLE)

Le dommage causé à autrui est une source d'obligation. "Toute personne capable de discerner le bien du mal, est responsable du dommage causé par sa faute à autrui, soit par son fait, soit par imprudence, négligence ou inhabileté." (art. 1053 C.C.).

Le délit est un fait illicite volontaire et intentionnel. C'est le fait de causer un dommage à autrui avec l'intention de le causer. De cette faute intentionnelle va découler une obligation, celle de réparer le dommage : une responsabilité.

Le quasi-délit, en revanche, est un fait illicite sans l'intention de causer de dommage à autrui. C'est le cas par exemple de l'automobiliste qui fait de la vitesse et blesse un enfant. Il n'a pas intentionnellement blessé l'enfant.

Les trois éléments de la responsabilité civile sont : la faute, le dommage et le lien de causalité entre la faute et le dommage.

La faute. La personne n'est pas seulement responsable de ses fautes mais également de celles des personnes dont elle doit répondre. La loi a énuméré ces personnes :

"Le père, et après son décès, la mère, sont responsables du dommage causé par leurs enfants mineurs (. . .), les tuteurs sont responsables pour leurs pupilles (. . .), les curateurs pour les dommages causés par ceux dont ils ont la personne à charge (. . .), l'instituteur et l'artisan pour le dommage causé par leurs élèves ou apprentis pendant qu'ils sont sous leur surveillance (. . .), les maîtres et les commettants pour le dommage causé par leurs domestiques ou ouvriers dans l'exécution de leurs fonctions (. . .)." (art. 1054 C.C.).

La personne responsable du fait d'autrui, sauf le cas des maîtres et commettants, peut se libérer de cette responsabilité si elle prouve qu'elle n'a pas pu empêcher le fait qui a causé le dommage. Ainsi, si mon fils mineur est impliqué dans un accident d'automobile, je ne serai pas responsable si je prouve que je lui ai donné une bonne éducation et les renseignements nécessaires pour conduire une automobile.

Toute personne est également responsable du fait des choses qu'elle a sous sa garde. Deux cas ont été prévus par la loi à l'article 1055 C.C.
— Responsabilité du fait des animaux : si mon chien mord le fils du voisin, je suis responsable du dommage, tant que je n'ai pas prouvé qu'il y a eu faute de la part de la victime.
— Responsabilité de la ruine des bâtiments causée par défaut d'entretien ou vice de construction : si le plafond de mon logement s'écroule sur ma tête, le propriétaire de la maison est responsable du dommage, si je réussis à prouver qu'il y a eu de sa part défaut d'entretien ou vice de construction.

Le dommage. Le dommage (ou préjudice) doit être certain, personnel et direct.

Le dommage présent ne cause pas de problème. Il peut être évalué. S'il est futur, le dommage doit être certain. Le dommage éventuel, hypothétique, ne peut donner lieu à réparation.

Le dommage doit en outre être personnel à la personne qui demande réparation. La femme de Paul, victime, ne pourra pas poursuivre le responsable en cas d'abstention de Paul.

Le dommage doit être direct. Il ne suffit pas qu'une faute ait été commise. Il faut qu'elle soit la cause directe du dommage. Ainsi, le propriétaire d'un camion qui obstrue le trottoir dans une rue de Montréal, forçant les piétons à passer au milieu de la chaussée, ne saurait être tenu responsable du préjudice subi par un enfant âgé de six ans qui, en contournant le véhicule, a été blessé par un cycliste (v. Bélaire *v.* Valiquette Ltée, 77 C.S. 387).

Il y a deux catégories de dommages : le dommage matériel et le dommage moral. Étant donné l'importance grandissante des accidents de la route, du travail, etc., on en vient à distinguer en outre, à côté des dommages matériels, les dommages corporels.

Le dommage matériel est une atteinte aux biens de la personne. On l'évalue en prenant en considération la perte éprouvée : par exemple le prix de la vache tuée, de l'automobile accidentée, et le gain manqué : par exemple le lait que la vache aurait donné, la perte de salaire.

Quant au *dommage moral*, on a déjà prétendu que les larmes ne se monnaient pas, et qu'on ne peut pas évaluer la douleur en dollars et en cents. Il est vrai que le dommage moral ne porte aucune atteinte au patrimoine de la victime du dommage, mais l'allocation d'une indemnité pécuniaire ne procure-t-elle pas une satisfaction de compensation et ne serait-il pas d'ailleurs injuste que la faute du responsable du dommage demeure sans sanction ?

Injures et diffamation portent sans aucun doute atteinte à l'honneur et à la réputation. Les tribunaux, quand ils ont à évaluer le dommage, jouissent d'un pouvoir discrétionnaire étendu d'après les circonstances.

Parlons maintenant du *dommage corporel.* Ici, l'acte dommageable a porté atteinte au principe de l'inviolabilité du corps humain. Le dommage peut être physique ou psychique.

Le dommage physique peut être partiel (blessures, perte d'un ou plusieurs membres, etc.) ou total (la mort).

Le lien de causalité. Pour qu'il y ait responsabilité civile délictuelle, il faut qu'il y ait une relation de cause à effet entre la faute commise et le dommage subi. Le dommage doit être *causé* par le délit ou le quasi-délit. La responsabilité ne pourra être invoquée tant qu'il n'y aura pas entre le dommage et le fait dommageable un rapport *certain* et *direct* de causalité.

La causalité peut rarement se prouver mathématiquement et implique, par conséquent, une certaine appréciation du juge. Deux cagoulards font irruption dans un logement habité par un cardiaque. À la seule vue des bandits, l'homme s'écroule et meurt. Quelle est ici la *cause* de la mort? Est-ce l'irruption des cagoulards ou l'état physique de la victime? On dira que sans l'irruption des cagoulards l'homme ne serait pas mort, mais n'est-ce pas là une cause *indirecte?* Si l'homme n'avait pas été cardiaque il ne serait pas mort!

Dans chaque cas, les tribunaux apprécient selon les circonstances.

JURISPRUDENCE

Deux jeunes garçons, Mario, 12 ans, et Christian, 14 ans, se livrent à un jeu de cow-boys. Mario joue le rôle du shérif-adjoint et Christian celui du shérif. Ce dernier tient en main un pistolet en plastique dont le bout, brisé pendant le jeu, est en pointe.

Mario découvre le bandit et se retourne vivement vers Christian pour faire son rapport au "shérif". Dans ce mouvement brusque, l'œil de Mario bute sur le pistolet de Christian. Mario perd un œil.

Le père de Mario poursuit le père de Christian. La Cour supérieure condamne le père de Christian en sa qualité de tuteur à payer au père de Mario la somme de $1 180 pour ses dommages subis en sa qualité de père et la somme de $15 500 en sa qualité de tuteur à son fils Mario.

Le père de Christian décide de porter le jugement de la Cour supérieure en appel. La Cour d'appel casse le jugement de la Cour supérieure. Voici ce que dit, notamment, le juge Rivard :
"Le jeune Christian (...) a participé à un jeu de façon normale et régulière, et il n'est aucunement en preuve qu'il a agi autrement que ses compagnons. Il est évident que tous les jeux comportent des risques, qu'il y a des accidents qui surviennent sans faute, ou sans qu'il soit possible d'imputer une faute à qui que ce soit. La preuve soumise établit que nous sommes en face de l'un de ces accidents malheureux. . ." (1972 C.A. 196, à la page 200).

Le père de Mario décide alors de s'adresser à la Cour suprême du Canada. Cette dernière rejette l'appel du père de Mario. Les juges Abbott, Ritchie, Spence et Dickson approuvent le jugement de la Cour d'appel exonérant le jeune Christian de toute responsabilité. Seul le juge Pigeon de la Cour suprême est dissident :
"Le juge de première instance, qui a eu l'avantage d'entendre le jeune homme, a conclu qu'il avait un discernement suffisant pour devoir se rendre compte de l'imprudence qu'il commettait en utilisant ce jouet-là, dans cet état-là, pour ce jeu-là." (1975/1 R.C.S. 724, à la page 727).

Que devons-nous retenir de ce cas?

1. *Il y a eu appel du jugement de la Cour supérieure devant la Cour d'appel. Cette dernière a cassé le jugement de la Cour de première instance, la Cour supérieure.*
2. *Il y a eu appel du jugement de la Cour d'appel du Québec*

devant la Cour suprême du Canada. Cette dernière a confirmé le jugement de la Cour d'appel.
3. La décision de la Cour suprême est majoritaire puisqu'il y a eu une dissidence, celle du juge Pigeon. S'il n'y avait pas eu cette dissidence, le jugement de la Cour suprême aurait été unanime.
4. Le père de Mario avait obtenu deux indemnités. La première en sa qualité personnelle de père pour les souffrances, douleurs (de voir son fils Mario souffrir) et les inconvénients. La deuxième en sa qualité de tuteur, pour administrer cette somme et la remettre à Mario à sa majorité.
5. La Cour supérieure avait condamné le père de Christian en sa qualité de tuteur seulement. Cela veut dire que le tribunal n'a pas retenu la responsabilité du père prévue à l'article 1054 du Code civil.
6. C'est dans l'appréciation de la faute *du jeune Christian que les tribunaux ne sont pas tombés d'accord. Le juge de la Cour supérieure et le juge Pigeon de la Cour suprême ont retenu l'imprudence fautive de Christian. Les juges de la Cour d'appel ainsi que la majorité des juges de la Cour suprême ont, par contre, affirmé que le jeune garçon avait participé à un jeu de façon normale et régulière et que, par conséquent, il n'y avait pas eu* faute *de sa part.*

* * *

Roland va faire son marché. Arrivé devant le comptoir des légumes, il glisse et se blesse. Il poursuit le propriétaire du magasin et lui réclame une somme de $1 300 à titre de dommages-intérêts. Roland reproche particulièrement au magasin de n'avoir pas pris les soins nécessaires au bon maintien des planchers et d'avoir laissé des débris de légumes dans un endroit où le public devait circuler.

Roland attribue sa chute à une pelure d'échalote. Au cours de l'enquête il déclare : "Je ne sais pas exactement comment je suis tombé. Ma jambe droite a plié et j'ai glissé sur le genou droit. J'ai vu après un bout d'échalote sur le plancher et j'ai réalisé que j'avais glissé sur le morceau d'échalote. Je ne l'avais pas vu avant ma chute."

Personne n'a vu le demandeur Roland glisser sur une échalote et la preuve démontre que l'échalote qui se trouvait sur le plancher n'était pas écrasée. De son côté, le propriétaire du magasin a fait la preuve que son magasin était tenu en parfait état et qu'on nettoyait le plancher plusieurs fois par jour.

En rendant son jugement, le juge Paul Robitaille n'a pas retenu la responsabilité du propriétaire du magasin en affirmant que la "victime" doit établir la causalité entre l'état des lieux et son accident et qu'il n'y a pas de responsabilité automatique du simple fait que l'individu est victime d'un accident lorsqu'il se blesse dans un escalier, sur un terrain ou sur un plancher (1975 C.P. 239).

Que devons-nous retenir de ce cas?

1. *Il n'y a pas de responsabilité automatique et la personne qui dit avoir subi un préjudice doit faire la preuve de la faute ou négligence de la personne qu'elle poursuit.*
2. *Même si la faute est prouvée, il faut qu'il y ait entre cette faute et le dommage subi un lien de causalité directe. En d'autres termes, que l'accident soit survenu* à cause *de cette faute.*
3. *Le juge Robitaille a retenu les principes consacrés par la Cour d'appel dans la cause* Cooney c. Steinberg Ltd. *(1973 C.A. 857) et dans laquelle nous lisons à la page 860 :*
"Les propriétaires et exploitants d'établissements (de ce genre) ne sont pas les assureurs de ceux qui les fréquentent contre tout risque d'accident (...) et (...) leur devoir de tenir leur établissement dans un état qui soit de nature à protéger raisonnablement leurs clients, est un devoir qui doit lui-même être envisagé dans les limites du raisonnable (...) le client (...) a lui aussi le devoir de se protéger (...) en portant lui-même une attention raisonnable autour de lui (...)."

LA LOI

Certaines obligations n'ont ni le contrat, ni le quasi-contrat, ni le délit, ni le quasi-délit pour source mais la loi elle-même, indépendamment de la volonté des individus.

Citons,à titre d'exemple, les obligations du tuteur, du curateur, des époux, l'obligation alimentaire des enfants envers leurs parents, etc.

L'EXTINCTION DES OBLIGATIONS

Nous avons vu comment naissent les obligations. Nous allons maintenant voir comment elles s'éteignent. La loi a prévu les cas les plus importants d'extinction. L'obligation s'éteint, dit l'article 1138 C.C., par :

— le paiement;
— la novation;
— la remise;

— la compensation;
— la confusion;
— l'impossibilité d'exécution;
— la libération du débiteur dont l'immeuble est vendu en justice et adjugé au créancier;
— le jugement d'annulation ou de rescision;
— l'effet de la condition résolutoire;
— la prescription;
— l'expiration du terme;
— la mort du créancier ou du débiteur en certains cas;
— les causes spéciales applicables à certains contrats.

Il ne s'agit pas ici d'entrer dans une étude détaillée de chacun de ces modes d'extinction de l'obligation. Une définition sommaire accompagnée d'un exemple suffira.

Le paiement. C'est l'exécution de l'obligation en général et non pas seulement la livraison d'une somme d'argent. Exemple : je m'engage à écrire un livre. Dès que le livre est écrit, l'obligation s'éteint.

L'obligation peut également s'éteindre par la dation en paiement. Cet acte consiste dans la remise, à titre de paiement, d'une chose autre que celle qui est due par le débiteur. Pour être libératoire, la dation en paiement exige le consentement du créancier. Exemple : je dois cinq dollars à Irène. Je lui donne ma montre en paiement. Elle accepte. Ma dette s'éteint.

La novation. Trois cas :
— nouvelle dette substituée à l'ancienne ;
— nouveau créancier substitué à l'ancien;
— nouveau débiteur substitué à l'ancien.
Exemples :
— Jacques doit à Pierre $3 000 payables le 20 décembre. À cette date Jacques ne peut pas payer et conclut avec Pierre un accord en vue du paiement de $3 200 le 20 juin suivant. La première dette est éteinte.
— Jacques doit à Pierre $2 000. Par un nouveau contrat cette dette est transférée de Pierre à Richard. Jacques est libéré vis-à-vis de Pierre. Sa dette envers Pierre est éteinte.
— Jacques doit à Pierre $1 000. La femme de Jacques signe avec Pierre un contrat par lequel elle se substitue à son mari. La dette de Jacques s'est éteinte.

La remise. C'est la libération volontaire, expresse ou tacite, du débiteur par son créancier. Pierre dit à Jacques, son débiteur : "Va, tu ne me dois plus rien." La dette de Jacques s'est éteinte.

La compensation. Il y a compensation lorsque le créancier est débiteur de son débiteur pour la même valeur. Exemple : Pierre doit à Philippe $2 000. Philippe achète la voiture de Pierre pour $2 000. Chacun des deux doit donc $2 000 à l'autre. Les deux dettes s'éteignent de plein droit par compensation.

La confusion. Elle se réalise quand les qualités de créancier et de débiteur se réunissent dans la même personne. Exemple : Jacques doit à son fils $2 000. Jacques meurt et son fils hérite. Il devient par conséquent en même temps créancier, et en sa qualité d'héritier, débiteur des dettes du défunt. La dette s'éteint puisqu'il ne peut pas être débiteur de lui-même.

L'impossibilité d'exécuter. Je vends ma récolte à Pierre, mais avant la livraison ladite récolte disparaît dans un incendie. Je ne peux plus livrer et mon obligation (de livrer) s'éteint...

La libération du débiteur dont l'immeuble est vendu en justice et adjugé au créancier. Pierre doit à Jacques $10 000. À l'échéance, Jacques fait vendre l'immeuble de Pierre en justice et en devient acquéreur. L'immeuble a une valeur de $10 000. La dette de Pierre s'est éteinte.

Le jugement d'annulation. C'est le jugement qui constate la nullité de l'obligation. Ici, l'obligation ne s'est pas éteinte puisqu'elle n'a jamais existé.

La condition résolutoire. Nous l'avons déjà étudiée. Pierre dit à son fils Arthur : "Je te donne $5 000 si tu ne t'établis pas à Québec." Arthur s'établit à Québec. La condition résolutoire se réalise. L'obligation de Pierre vient de s'éteindre.

La prescription. Lorsque le créancier reste trop longtemps sans réclamer, la loi lui enlève son droit d'exiger l'exécution de l'obligation. Exemple : Jacques a recours aux services d'un architecte. Ce dernier laisse passer cinq ans sans réclamer ses honoraires. L'obligation de Jacques s'éteint par prescription.

Expiration du terme. Je loue un logement pour un mois. À l'expiration du terme (du mois en l'occurrence) les obligations découlant du bail s'éteignent.

La mort du créancier ou du débiteur dans certains cas. Il s'agit des obligations personnelles attachées à la personne même du créancier ou du débiteur. Un peintre s'engage à faire le portrait d'une personne. Le peintre meurt et l'obligation de peindre ce portrait s'éteint avec lui.

Chapitre 5

Les privilèges et les hypothèques

Un débiteur peut avoir plusieurs créanciers. Ceux-ci ne sont pas tous sur le même pied d'égalité. On distingue deux catégories de créanciers : les créanciers ordinaires et les créanciers privilégiés.

En cas de liquidation des biens du débiteur, les créanciers privilégiés auront priorité sur les créanciers ordinaires.

Qui sont ces créanciers privilégiés? Ce sont ceux qui détiennent un privilège ou une hypothèque.

LE PRIVILÈGE

Le privilège est un droit de préférence accordé à certains créanciers : un créancier est privilégié quand il est préféré à d'autres créanciers sur le produit de la vente en justice du bien sur lequel porte le privilège. Il ne peut donc être question de privilège quand il n'y a qu'un seul créancier.

Le privilège ne peut être établi que par la loi. En conséquence, les privilèges sont d'interprétation stricte et n'existent pas sans texte qui les accorde expressément.

C'est sur la qualité et la cause de la créance que la loi se fonde pour édicter un privilège. Tous les créanciers dont les créances ont la même cause et la même qualité seront dans le même rang.

Les privilèges sur les biens meubles peuvent être sur la totalité des biens meubles ou sur certains biens meubles seulement (art. 1993 C.C.).

Voici par ordre de préférence les privilèges établis par la loi, chaque catégorie étant prioritaire par rapport aux catégories subséquentes :

1. les frais de justice et toutes les dépenses faites dans l'intérêt commun;
2. la dîme;
3. la créance du vendeur d'une chose non payée. Le vendeur a un privilège sur cette chose.

Le vendeur a le choix entre revendiquer la chose ou être préféré sur le prix. Pour exercer cette revendication quatre conditions s'imposent :

— que la vente ait été faite sans terme (au comptant);
— que la chose soit encore entière et dans le même état qu'à la vente, autrement il n'aurait aucun intérêt à la revendiquer;
— qu'elle ne soit pas passée entre les mains d'un tiers qui en ait payé le prix;
— que la revendication soit exercée dans les huit jours de la livraison. Cependant en cas de faillite le droit de revendication (ou de préférence) peut être exercé dans les trente jours qui suivent la livraison;

4. les créances de ceux qui ont droit de gage ou de rétention;
5. les frais funéraires, eu égard à l'état et à la fortune du défunt;
6. les frais de la dernière maladie. On entend par "dernière maladie" celle dont le débiteur est mort. Ces frais comprennent ceux des médecins, des pharmaciens et des garde-malades. Dans les cas de maladie chronique, le privilège n'a lieu que pour les frais engagés pendant les derniers six mois qui ont précédé le décès;
7. les taxes municipales;
8. la créance du locateur;
9. la créance du propriétaire d'une chose prêtée, louée, donnée en gage ou volée;
10. les gages des serviteurs et les créances des fournisseurs;
11. la Couronne pour créances contre ses comptables.

Les privilèges classés sous les numéros 5, 6, 7, 10 et 11 sont généraux, c'est-à-dire qu'ils s'étendent sur tous les biens meubles, tandis que les autres sont des privilèges spéciaux et n'affectent que certains biens en particulier.

Les privilèges sur les immeubles. La loi a défini les créances privilégiées sur les immeubles et les a énumérées par ordre de priorité :

1. les frais de justice et ceux faits dans l'intérêt commun;
2. les frais funéraires lorsque le produit des biens meubles s'est avéré insuffisant;
3. les frais de la dernière maladie lorsque les produits des biens meubles se sont avérés insuffisants;
4. les frais de labours et de semences;
5. les cotisations et répartitions, telles que les cotisations prévues par la Loi des fabriques pour les paroissiens catholiques, etc.;
6. les droits seigneuriaux (séquelles de l'ancien droit féodal);
7. la créance de l'ouvrier, du fournisseur de matériaux, du constructeur et de l'architecte;
8. la créance du vendeur, sur l'immeuble qu'il a vendu;

9. les gages des domestiques lorsque les produits des biens meubles se sont avérés insuffisants.

L'HYPOTHÈQUE

L'hypothèque est un droit réel qui, sans déposséder actuellement le propriétaire de l'immeuble hypothéqué, permet au créancier de s'en emparer à l'échéance pour le faire vendre en justice, en quelques mains qu'il se trouve, et se faire payer sur le prix de la vente par préférence aux créanciers ordinaires.

L'hypothèque a un caractère accessoire, en ce sens qu'étant la simple garantie d'une créance elle suit le sort de celle-ci. Si la créance vient à s'éteindre, il n'y a pas de raison pour que l'hypothèque subsiste.

L'hypothèque est indivisible. Quand un immeuble est hypothéqué, il l'est en entier. Si le propriétaire de l'immeuble meurt et qu'il laisse trois héritiers, chacun aura une part indivise dans l'immeuble. Par conséquent, l'hypothèque étant indivisible, chaque héritier sera tenu hypothécairement pour le tout, c'est-à-dire que bien qu'il ne doive personnellement que le tiers de la dette, la part d'immeuble qui lui est échue ne sera affranchie de l'hypothèque que par l'entière extinction de la dette : chaque partie de l'immeuble répond donc de la totalité de la dette. C'est l'indivisibilité.

C'est la plus intéressante des garanties réelles (de *res*, chose) par l'énormité de la masse des capitaux qu'elle garantit et par la valeur considérable des propriétés foncières qu'elle grève. En accordant au prêteur un privilège d'hypothèque, l'emprunteur lui reconnaît, à l'échéance de la créance, le droit de vendre l'immeuble et de recouvrer sa créance sur le prix de la vente en cas de non-remboursement du prêt.

L'acte constitutif d'hypothèque est un acte solennel, c'est-à-dire qu'il doit être fait en forme authentique devant notaire et porter minute (art. 2040 C.C.).

Afin d'éviter la vente en justice, les créanciers introduisent généralement dans les contrats de prêts hypothécaires une clause dite de *dation en paiement*. En cas de défaut de paiement par le débiteur, cette clause permet au créancier de devenir lui-même propriétaire de l'immeuble. Il devra cependant adresser d'abord à son débiteur un avis de soixante jours (art. 1040a C.C.).

L'enregistrement. Étant donné l'importance des biens immeubles, la loi requiert que toute transaction et tout changement dans le droit de propriété d'un immeuble soient enregistrés. C'est l'enregistrement qui détermine la date à laquelle la transaction prend effet. Je vends mon immeuble. La vente prend effet à partir de la date de l'enregistrement. J'hypothèque mon immeuble, l'hypothèque prend effet à partir de la date de l'enregistrement. Je fais une donation entre vifs de mon immeuble, la donation prend effet à partir de la date de l'enregistrement.

Chapitre 6

La vente

La vente est un contrat par lequel une personne donne une chose à une autre, moyennant un prix en argent que la dernière s'oblige de payer.

OBLIGATIONS DES PARTIES

Les principales obligations du vendeur sont la délivrance et la garantie de la chose vendue.

La délivrance est la mise en possession de l'acheteur. La chose vendue doit être livrée dans l'état où elle se trouvait au moment de la vente.

Le vendeur n'est pas tenu de délivrer la chose vendue au cas où l'acheteur n'en aurait pas acquitté le prix. À moins, évidemment, que par le contrat de vente le vendeur n'ait accordé à l'acheteur un délai pour le paiement.

La garantie des vices. Le vendeur doit procurer à l'acheteur une possession utile. C'est pourquoi le vendeur est responsable des défauts de la chose vendue qui affectent la jouissance de l'acheteur. Ces défauts, ou vices, n'engagent la responsabilité du vendeur que dans les conditions suivantes :

— *vices cachés :* le vendeur ne garantit pas les vices apparents puisque l'acheteur pouvait les constater à l'achat;

— *vices inconnus de l'acheteur :* si, à l'achat, l'acheteur connaît les vices de la chose et l'achète quand même, la responsabilité du vendeur se trouve dégagée. Paul me vend sa voiture en m'informant que les pistons sont fêlés. Il ne me garantit plus ce vice que j'ai connu au moment de l'achat;

— *vices nuisibles à l'utilité de la chose :* le vendeur ne garantit pas les défauts qui ne nuisent pas à l'utilité de la chose vendue;

— *vices antérieurs à la vente :* le vendeur n'est pas responsable des défauts qui naissent après la vente.

C'est à l'acheteur de prouver ces vices. Il n'est pas nécessaire que le vendeur les ait connus. Il faudra cependant faire une distinction dans les sanctions :

— le vendeur ne connaissait pas le vice : il devra rembourser le prix;

— le vendeur connaissait le vice : il devra, en plus du remboursement du prix, indemniser l'acheteur de tous les dommages-intérêts que ce dernier aura soufferts. On considère ici que le vendeur était de mauvaise foi.

Le vendeur peut se libérer de cette garantie en incluant dans le contrat une clause spéciale dite de non-garantie (art. 1524 C.C.).

La garantie du fait personnel. Le vendeur garantit à l'acheteur qu'il ne fera rien pour empêcher ce dernier de jouir de la chose vendue. Le vendeur est garant de son propre fait mais pas du fait d'un tiers. Paul a vendu un appareil de radio à Alice. Il lui garantit de ne pas reprendre l'appareil, mais il ne peut pas garantir qu'un tiers ne le volera pas.

Le vendeur ne pourra pas s'esquiver par une clause de non-garantie de son fait personnel (art. 1509 C.C.).

La garantie d'éviction est une garantie qui découle de l'obligation du vendeur de procurer à l'acheteur une possession paisible et utile de la chose vendue.

Être évincé d'une chose c'est en être privé. Le vendeur garantit à l'acheteur qu'il ne sera pas évincé de la chose vendue, ni par lui-même (le vendeur) ni par un tiers.

La garantie d'éviction est établie de plein droit en faveur de l'acheteur, qu'elle soit stipulée ou non dans le contrat de vente.

La loi accorde à l'acheteur évincé le droit de réclamer au vendeur :
— la restitution du prix;
— la restitution des fruits lorsqu'il est obligé de les rendre à la personne qui l'évince;
— les frais que toute cette affaire aura occasionnés à l'acheteur frustré;
— les dommages, les intérêts.

On suppose que l'acheteur ignorait, au moment du contrat, les causes de l'éviction. Mais, s'il connaissait ces causes, il n'aurait plus droit qu'à la restitution du prix déboursé par lui.

De son côté, l'acheteur a deux obligations principales : prendre livraison et payer le prix. Si le temps et le lieu du paiement ne sont pas fixés par le contrat, l'acheteur doit payer au temps et au lieu de la livraison.

Dans la vente au comptant, le vendeur non payé a ce qu'on appelle un "droit de rétention", c'est-à-dire qu'il peut refuser de livrer la chose tant que l'acheteur n'en paie pas le prix.

Rappelons que le vendeur impayé a un privilège sur la chose vendue, comme nous l'avons déjà vu.

LA VENTE AU CONSOMMATEUR

Au mois de juillet 1971, l'Assemblée nationale du Québec a adopté une loi ayant pour but d'assurer la protection du consommateur. Cette loi était nécessaire pour protéger le consommateur contre sa propre inexpérience, contre les sollicitations, les pressions et les influences de toutes sortes auxquelles il est exposé tous les jours. Elle était aussi nécessaire pour protéger le consommateur qui devait se débattre contre les abus et les fraudes de commerçants peu scrupuleux.

L'application de cette loi a été confiée à l'Office de la protection du consommateur. Cet organisme est rattaché au ministère des Consommateurs, Institutions financières et Coopératives du Québec. Il reçoit les plaintes des consommateurs concernant les infractions commises par des commerçants à la loi ou aux règlements adoptés par le lieutenant-gouverneur en conseil sous l'autorité de la loi.

L'Office de la protection du consommateur est également chargé, entre autres, de prendre toutes les mesures nécessaires pour promouvoir la protection du consommateur. Son directeur peut également ordonner à tout commerçant de se conformer à la loi ou aux règlements.

QUELS SONT LES CONTRATS RÉGIS PAR CETTE LOI?

Les contrats de vente assujettis à cette loi sont d'abord des contrats passés entre un commerçant et un consommateur. La loi ne définit pas le commerçant. Aussi tenterons-nous d'en donner une définition. Le commerçant est la personne, physique ou morale, qui transige en semblables objets, qui les achète pour les revendre avec profit.

Albert Beaubien, propriétaire du restaurant *Le Roi de la Pizza.* a vendu son automobile à Gisèle Bélanger. Dans cet exemple, Albert Beaubien est-il commerçant? Non, car il ne transige pas principalement dans les automobiles. En d'autres termes, il ne s'occupe pas principalement à acheter des automobiles pour les revendre avec profit. Cette vente ne sera donc pas assujettie aux dispositions de la Loi de la protection du consommateur.

En revanche, la loi définit le consommateur, à l'article 1.d), en ces termes : "toute personne physique qui est partie à un contrat en une qualité autre que celle de commerçant".

Prenons par exemple le cas de la Compagnie du Tapis limitée qui achète une balayeuse de la Compagnie Antipollution limitée. La Compagnie du Tapis est mécontente de sa balayeuse. Pourra-t-elle se prévaloir de la protection de la loi? Non, car la Compagnie du Tapis n'est pas une personne physique mais une personne morale.

LA VENTE " PORTE-À-PORTE"

Le vendeur qui fait du porte-à-porte est aussi appelé vendeur itinérant, démarcheur, solliciteur, représentant... Ce vendeur ne travaille généralement pas pour son compte, mais pour le compte d'une compagnie qui lui accorde une rémunération pour la vente de ses produits. Cette compagnie est tenue, en vertu de la loi, de posséder un permis émis par l'Office de la protection du consommateur. Afin d'obtenir ce permis, la compagnie devra déposer un cautionnement qui garantit le sérieux de cette compagnie. Le vendeur itinérant doit être en possession d'une carte de représentant attestant que son employeur possède bien ce permis.

CARTE DE REPRÉSENTANT

OCTAVE HUARD
NOM DU REPRÉSENTANT

ERNEST DUPONT Cie LTÉE
NOM DU DÉTENTEUR DE PERMIS

I23456007
NUMÉRO DU PERMIS ÉMIS PAR L'OFFICE DE LA PROTECTION DU CONSOMMATEUR

SIGNATURE DU REPRÉSENTANT

SIGNATURE DU DÉTENTEUR OU D'UNE PERSONNE AUTORISÉE

NB-6 Nº 500007 ENGLISH ON REVERSE SIDE

Cette carte permettra au consommateur d'identifier le vendeur. Cependant, elle n'est pas une garantie de l'honnêteté du vendeur, ni de la qualité du produit qu'il vend.

Monsieur Tremblay discute depuis un mois avec son épouse sur la nécessité d'installer une porte en aluminium. Il reçoit aujourd'hui la visite d'un vendeur qui lui fait signer un contrat. Mais voilà que Madame Tremblay, qui rentre du bureau, lui annonce qu'elle s'est rendue chez "Portes de luxe limitée" et qu'elle a signé un contrat pour l'installation d'une porte en aluminium. Les voilà pris avec deux contrats pour deux portes en aluminium! Monsieur Tremblay pense qu'il peut annuler son contrat. Il n'a pas tort, mais il ne sait pas comment procéder et dans quel délai.

La Loi de la protection du consommateur accorde à ce dernier une période de réflexion à la suite de la conclusion d'un contrat avec un démarcheur. Durant cette période, le consommateur peut annuler le contrat sans avoir d'explications à donner. Monsieur Tremblay pourra donc annuler le contrat dans les CINQ JOURS qui suivent le moment où le démarcheur et lui-même sont en possession d'un exemplaire du contrat. Le samedi, le dimanche et les jours fériés ne comptent pas dans ces cinq jours.

De plus, dans les SEPT JOURS qui suivent l'annulation du contrat, Monsieur Tremblay et le vendeur devront se rendre mutuellement ce qu'ils ont reçu l'un de l'autre. Ainsi, si Monsieur Tremblay a versé un acompte de $50, il aura le droit de récupérer cette somme dans les sept jours qui suivent l'annulation du contrat.

Les frais de restitution sont à la charge du vendeur. Si le vendeur dit à Monsieur Tremblay de lui renvoyer la porte par camion, c'est le vendeur qui devra payer les frais du transport.

Comment annuler un contrat. Monsieur Tremblay pourra annuler le contrat en envoyant un avis écrit à la compagnie pour laquelle le vendeur travaille. Il enverra cet avis par courrier recommandé. Il pourra également l'annuler en remettant la porte à l'adresse du vendeur; mais il devra alors être très prudent en s'assurant la présence d'un témoin ou en exigeant un reçu.

Il ne devra surtout pas se contenter d'appeler son vendeur au téléphone ou de demander à son gérant de banque d'arrêter le paiement du chèque.

CONTRATS ACCORDANT UN CRÉDIT VARIABLE

Il s'agit ici du crédit consenti d'avance par le commerçant sous forme d'une carte de crédit, d'un compte de crédit, d'un compte budgétaire, d'une marge de crédit, d'une ouverture de crédit ou toute autre forme de même nature.

Le crédit est variable parce qu'il n'est pas consenti pour un montant d'argent fixe. Seul le plafond est fixé d'avance. Le commerçant émettra par exemple une carte de crédit et dira à son client : "Tu pourras acheter de la marchandise jusqu'à $500." Le client n'achètera pas nécessairement pour $500 de marchandises. Il achètera, par exemple, pour $35 en janvier, pour $80 en février et remboursera chaque mois au commerçant un certain pourcentage établi à l'avance sur le solde débiteur de son compte.

Le crédit, c'est-à-dire le montant dû au commerçant, variera d'un mois à l'autre. C'est pourquoi on l'appelle "crédit variable".

La loi défend au commerçant l'émission d'une carte de crédit à un consommateur qui ne l'a pas sollicitée par écrit. Mais cette prohibition ne s'applique pas au renouvellement ou au remplacement aux mêmes conditions d'une carte de crédit que le consommateur avait sollicitée ou utilisée.

Le commerçant qui consent un crédit variable doit fournir au consommateur un écrit de base énonçant : la date et le lieu du contrat, le nom et l'adresse du commerçant, le nom et l'adresse du consommateur, le montant du plafond ou l'absence de plafond, la durée de chaque période pour laquelle un état de compte est fourni, le coût minimum de crédit pour chaque période ou le coût annuel minimum, le taux de crédit exigible à la fin de chaque période sur le solde impayé et un tableau d'exemples du coût de crédit sur le solde impayé à la fin de chaque période. De plus, la loi prévoit en détail toutes les informations que doit contenir l'état de compte qui est envoyé au consommateur.

Mais que faut-il entendre par le "coût de crédit"? Le règlement n° 9 qui est entré en vigueur le 1er juillet 1972 stipule à l'article 9.02 :
"Le coût de crédit doit être déterminé comme étant égal à la somme de tout ce que le consommateur doit payer en vertu du contrat en sus du montant de crédit et doit inclure notamment :
a) l'intérêt exprimé sous forme de montant;
b) la différence entre le prix du bien en vertu du contrat et le prix comptant;
c) le bonus;
d) la commission;
e) les frais d'administration ou de service non inclus dans les paragraphes a) ou b);
f) les frais de courtage;
g) les frais d'acte;
h) les frais d'enquête de crédit;
i) les droits exigibles;
j) la prime d'assurance souscrite contre le décès ou l'invalidité;
k) l'escompte."

L'article 9.06 de ce règlement édicte que le coût de crédit applicable à un contrat doit être divulgué en termes de dollars et de cents et non pas en pourcentages.

Ce même article exige que soit spécifié le délai pendant lequel le consommateur peut acquitter son obligation sans avoir à payer un coût de crédit.

CONTRATS ASSORTIS D'UN CRÉDIT ACCESSOIRE

Il s'agit ici de toutes les autres formes de contrats qui accordent un crédit moyennant un coût, à l'exception du contrat de vente à tempérament.

LA VENTE À TEMPÉRAMENT

Un contrat de vente à tempérament est un contrat de vente à crédit en vertu duquel un commerçant conserve le droit de propriété de la chose vendue jusqu'à complet paiement.

Vu la grande diffusion de ce genre de ventes, nous reproduisons ici le texte de l'article 29 de la loi :
"Tout contrat assorti d'un crédit par lequel le transfert de la propriété d'un bien vendu par un commerçant à un consommateur est différé jusqu'à l'exécution, par ce dernier, de son obligation, en tout ou en partie, est une vente à tempérament."

Lorsqu'on parle de bien vendu, le mot "bien" se limite ici aux choses mobilières et ne s'applique pas aux immeubles.

La vente à tempérament ne peut pas être assortie d'un crédit variable. Le contrat doit indiquer un seul taux de crédit et doit prévoir au moins un paiement différé par période : $30 par mois ou par semaine, par exemple. Les paiements différés doivent être égaux, sauf le dernier qui peut être moindre.

Citons le cas de Monsieur Bernard qui vient d'acheter une machine à écrire usagée. Le vendeur n'a exigé aucun versement comptant; le contrat stipule un prix total de $130 payable en douze versements. Les onze premiers versements sont de $10 chacun tandis que le douzième et dernier versement est de $20. Le vendeur se réserve la propriété de la machine jusqu'au paiement par Monsieur Bernard du douzième versement.

Il est clair qu'il s'agit ici d'une vente à tempérament. Cependant le vendeur a commis une infraction puisque la loi exige que tous les versements soient égaux sauf le dernier qui peut être moindre. Dans le cas de Monsieur Bernard, le dernier versement est supérieur aux autres.

Le consommateur a le droit de payer en tout temps avant l'échéance le solde du montant de son obligation totale. Dans ce cas, il a droit à une réduction du coût de crédit. La loi va même plus loin et exige du commerçant de fournir, sur demande, à tout consommateur à qui il a accordé un crédit, un état de compte *indiquant le montant requis pour payer avant échéance le solde de son obligation et la façon dont ce montant a été calculé.*

D'autre part, le commerçant a le droit d'exiger le solde du montant de l'obligation avant même l'échéance quand le consommateur, sans le consentement du commerçant, cède le bien à un tiers.

Monsieur Laliberté a acheté une voiture neuve financée par la compagnie Kébec Finance. Il lui reste $1 800 à payer. À court d'argent, Monsieur Laliberté vend sa voiture à Monsieur Bélanger. Il n'a pas obtenu le consentement de Kébec Finance. Cette compagnie a le droit d'exiger les $1 800 de Monsieur Laliberté même si ce montant n'est pas encore devenu exigible.

Mais qu'advient-il si en cours de route le consommateur ne peut plus faire face à ses engagements et qu'il n'est plus en mesure d'effectuer les versements prévus au contrat?

Monsieur Asselin a acheté une voiture au prix total de $5 200 incluant le coût de crédit. Il a signé son contrat en janvier 1975. En vertu de ce contrat, Monsieur Asselin devra effectuer 35 versements mensuels de $145 et un 36e et dernier versement de $125. Il y est clairement stipulé que MGAC Finance, qui a avancé l'argent, demeurera propriétaire de la voiture jusqu'à parfait paiement par Monsieur Asselin. Enfin, il est prévu dans le contrat que si l'acheteur faisait défaut d'effectuer un seul versement, tous les versements à venir et non échus seraient immédiatement exigibles. Il s'agit là de la fameuse clause dite de *déchéance de terme.*

Nous sommes en juillet 1975 et Monsieur Asselin n'a pas encore payé les sommes dues pour les mois de mai et de juin. Il a perdu son emploi et n'est plus capable, du moins pour le moment, d'effectuer un versement quelconque. En fait, il a payé $580 et il lui reste $4 620 à payer. Que peut alors faire le commerçant, ou plus précisément MGAC Finance à qui le commerçant a transféré ses droits?

Le commerçant peut exercer l'un des trois choix suivants en vertu de l'article 34 de la Loi de la protection du consommateur :
— exiger de Monsieur Asselin le paiement des versements échus, c'est-à-dire ceux de mai et de juin 1975; ou
— exiger de Monsieur Asselin, en plus des deux versements échus, la somme de $4 620 tel que prévu par la clause de déchéance de terme. Le commerçant qui veut se prévaloir de la clause de déchéance de terme doit, en vertu de l'article 68, envoyer un avis à cet effet au consommateur en défaut. Par cet avis, le commerçant accorde un délai de 30 jours au consommateur pour lui permettre de remédier à la déchéance de terme. Les 30 jours commencent à courir à partir

de la date de la réception de l'avis par le consommateur. Afin d'éviter la déchéance de terme, Monsieur Asselin aura donc 30 jours à partir de la réception de l'avis pour payer la somme de $290. S'il laisse écouler 30 jours sans payer cette somme, MGAC Finance pourra alors exiger le paiement de la somme de $4 620;

— reprendre possession de la voiture! Mais l'article 35 stipule qu'avant d'exercer son droit de reprise, le commerçant doit donner un avis à cet effet au consommateur. Ce droit de reprise ne peut être exercé par le commerçant qu'à l'expiration d'un délai de 30 jours après réception de l'avis par Monsieur Asselin.

Mais alors, s'il y a reprise de possession de la voiture, qu'advient-il des $580 payés par Monsieur Asselin? Il les perd, tout simplement.

Par contre sa dette de $4620 s'éteint.

Cependant, supposons que Monsieur Asselin avait déjà effectué 25 versements, soit au total versé la somme de $3 625 et qu'il restât 11 versements à faire, soit un total dû de $1 575. Il serait injuste, admettons-le, que Monsieur Asselin soit privé à jamais de sa voiture par la reprise de possession et qu'il perde du même coup les $3 625 déjà payés.

Aussi, le législateur a-t-il prévu, à l'article 38, que si le consommateur a payé au moins les deux-tiers du prix, le commerçant ne pourra pas exercer son droit de reprise à moins d'obtenir la permission du tribunal.

Le tribunal pourra permettre à Monsieur Asselin de garder la voiture et pourra modifier les modalités du paiement du solde de $1 575 selon les conditions que le tribunal jugera raisonnables.

LA FORMATION DES CONTRATS EN GÉNÉRAL

Afin de protéger adéquatement le consommateur, la loi a imposé au commerçant certaines conditions quant à la formation du contrat. Résumons ces conditions :

— le contrat doit être fait en deux exemplaires au moins;

— il doit être lisiblement rédigé en français, mais le consommateur peut exiger qu'il soit rédigé en anglais;

— le commerçant (ou son représentant, vendeur, agent, etc.) doit toujours signer le contrat le premier. Il doit ensuite le remettre au consommateur et lui permettre de prendre connaissance de ses termes et conditions avant de signer;

— une fois que le contrat est signé d'abord par le commerçant et ensuite par le consommateur, on peut dire que le contrat est formé, c'est-à-dire qu'il y a vente;

— même s'il est formé, le contrat n'est exécutoire qu'à compter du moment où le consommateur a reçu sa copie du contrat.

BUREAUX RÉGIONAUX DE L'OFFICE DE LA PROTECTION DU CONSOMMATEUR

Les consommateurs qui ont des plaintes à formuler ou qui désirent des renseignements sur la Loi de la protection du consommateur peuvent s'adresser aux bureaux régionaux suivants:

Québec
800, Place d'Youville
G1R 4Y5, tél.: 643-8652

Montréal
201 est, boul. Crémazie
1er étage
H2M 1L2, tél.: 381-8555

Hull
715, boul. St-Joseph
J8Y 4B6, tél.: 770-9004

Rimouski
140 rue de la Cathédrale
G5L 5H8, tél.: 724-6692

Rouyn-Noranda
85, rue Principale
J9X 4P1, tél.: 762-2355

Sherbrooke
740 ouest, rue Galt
J1H 1Z3, tél.: 567-8903

Trois-Rivières
863, rue St-Pierre
G9A 4W3, tél.: 374-2424

Jonquière
189, rue St-Dominique
G7X 6K4, tél.: 547-5741

Chapitre 7

Le bail

Le louage ou location est un contrat par lequel une personne, appelée le locateur, s'engage à fournir à une autre, appelée le locataire, la jouissance temporaire d'une chose ou d'un service moyennant un prix proportionnel au temps de location. L'objet du contrat de louage peut être une chose ou un ouvrage.

La chose louée peut être mobilière ou immobilière. On peut louer une voiture, une télévision, une machine à écrire. On peut aussi louer un logement, un garage, une salle de réception, un terrain de stationnement, un magasin, etc.

Les textes législatifs qui régissent les baux au Québec sont les articles 1600 à 1665 du Code civil et les dispositions de la Loi pour favoriser la conciliation entre locataires et propriétaires. Cette loi a théoriquement un statut temporaire puisque, adoptée en 1951, elle est, depuis lors, prolongée d'année en année.

Dans une première section, le Code civil traite de toutes les catégories de baux : civil, commercial, industriel, mobilier et immobilier. La deuxième section comprend des règles spécifiques au bail immobilier et plus particulièrement au bail d'un local d'habitation. Il va sans dire que, sur le plan de l'interprétation des textes, les dispositions spécifiques de la deuxième section doivent l'emporter sur les dispositions générales de la première section. Nous allons étudier successivement les dispositions de ces deux sections.

RÈGLES APPLICABLES À TOUS LES BAUX

Le louage a pour objet un meuble ou un immeuble. Il peut être à durée fixe ou à durée indéterminée. Le louage (ou location) d'un meuble est généralement consenti pour une durée déterminée à l'avance. Ainsi, il est courant de louer une voiture pour une journée, un appareil de télévision pour un mois, un appareil de climatisation pour une saison, etc.

Afin d'éviter toute confusion entre les mots "locateur" et "locataire", nous remplacerons le mot "locateur" par le mot "propriétaire". En effet, dans la grande majorité des cas, le locateur est le propriétaire du bien loué.

LES OBLIGATIONS DU PROPRIÉTAIRE

La loi impose au propriétaire certaines obligations. Qu'il s'agisse d'une chose meuble ou d'un logement, le propriétaire doit livrer la chose ou le logement en bon état. Il doit entretenir la chose louée en état de servir à l'usage pour lequel elle a été louée en effectuant toutes les réparations importantes. Il doit enfin procurer au locataire la jouissance paisible de la chose louée pendant toute la durée du bail.

Mademoiselle Pelletier a loué une machine à écrire en vue d'effectuer certains travaux à la maison. Elle est en droit de recevoir la machine en bon état de fonctionnement, de voir la machine entretenue régulièrement par la compagnie qui la lui a louée et, en cas de défectuosité survenant sans sa faute, de demander à la compagnie locatrice de la réparer.

Monsieur Lachance a loué une voiture pour une semaine du Garage ABC. Le lendemain, alors qu'il roule à la vitesse réglementaire, il se trouve obligé de freiner brusquement, mais les freins font défaut. À la suite de l'accident, la voiture est une perte totale. Le Garage ABC réclame de Monsieur Lachance le prix de la voiture. Ce dernier poursuit le garage en dommages-intérêts. L'expertise démontre clairement que les freins étaient complètement usés avant l'accident et qu'ils étaient par conséquent dans cet état au moment où la voiture avait été livrée à Monsieur Lachance.

Dans cette affaire, c'est Monsieur Lachance qui a raison. Qu'il ait eu connaissance ou pas de l'usure des freins, le Garage ABC doit, en vertu de l'article 1606, garantir le locataire, Monsieur Lachance, contre les défauts cachés de la voiture, défauts qui en empêchent ou en diminuent l'usage. Ce devoir de garantir les défauts cachés subsiste, que le locateur connaisse les défauts ou non.

Cependant pour obtenir des dommages-intérêts, Monsieur Lachance devra faire la preuve que les responsables du garage connaissaient l'état des freins.

Trouble de fait et trouble de droit. Il y a *trouble de fait* lorsque le locataire est inquiété dans sa jouissance sans que l'auteur du trouble prétende aucun droit sur la chose louée. Le propriétaire n'est pas responsable du dommage résultant d'un trouble de fait qu'un tiers apporte à la jouissance de la chose.

En droit, lorsqu'on parle d'un "tiers" on indique par là toute personne qui n'est pas partie au contrat. Ainsi, dans un bail, les parties sont le locateur et le locataire. Toute autre personne est un tiers.

Monsieur Bergeron a loué de Montréal Électronique un appareil de télévision pour une semaine. Il reçoit la visite de cambrioleurs qui endommagent l'appareil. Il s'agit bien dans ce cas d'un dommage résultant d'un trouble de fait qu'un tiers a apporté à la jouissance de la télévision. Trouble de fait car les cambrioleurs ne pouvaient prétendre aucun droit sur l'appareil de télévision. Le locateur, Montréal Électronique, ne saurait être tenu responsable de ce dommage (art. 1608).

En revanche, le propriétaire est tenu à la garantie des *troubles de droit* (art. 1609). Il y aurait trouble de droit, par exemple, s'il donnait à bail à une autre personne tout ou partie de la chose louée, ou s'il consentait sur l'immeuble des servitudes portant atteinte à la jouissance du locataire.

Le 28 mai 1968 est intervenu un bail entre A. B. Construction et une Dame Michel pour un local situé sur la rue Jean-Talon, à Montréal, dans lequel Dame Michel devait exploiter un restaurant. C'était un bail de cinq ans payable à raison de $180 par mois à compter de juin 1968. La locataire a pris possession des lieux le 1er juin. Elle a payé les loyers de juin et de juillet et une somme de $40 en acompte sur le loyer d'août, soit en tout la somme de $400. Depuis lors elle a cessé de payer son loyer. Poursuivie, le 15 avril 1969, par A.B. Construction, Dame Michel oppose qu'après avoir pris possession du local loué et ouvert son restaurant, A. B. Construction consentait un bail pour l'occupation du local voisin à une industrie de portes et fenêtres, la société Beaulac Aluminium. Ce local était situé partie en arrière et partie à côté du sien. Elle se plaint que cet atelier, dès sa mise en opération, répandait des odeurs de peinture et de produits chimiques qui rendaient l'air insupportable et donnaient un mauvais goût aux aliments, à un point tel que sa clientèle a graduellement diminué et qu'elle en a souffert des dommages considérables.

Elle prétend avoir perdu $8 000 de recettes; évalue ses dommages à la somme de $50 000; prétend que la bâtisse n'était pas construite pour l'exploitation sans inconvénients de ce genre d'industrie; reproche à A. B. Construction de ne pas lui avoir procuré la jouissance paisible des lieux.

La Cour supérieure, à Montréal, a donné raison à Dame Michel sans toutefois lui accorder la somme demandée. Le tribunal a cru équitable de fixer l'indemnité pour les dommages subis par Dame Michel à la somme de $3 000. (Nous avons sciemment changé les noms des parties. On pourra lire le jugement dans 1970 C.S. 454.)

Que peut faire le locataire? Mais que peut faire le locataire dans les cas où le propriétaire n'exécuterait pas les obligations imposées par la loi ou par le bail lui-même? La réponse à cette question nous est donnée par l'article 1610.

Le locataire pourra demander :
— l'exécution en nature de l'obligation, dans les cas qui le permettent.
Un local a été loué pour des fins industrielles. En vertu du bail, c'est le propriétaire qui est tenu de "chauffer" le local. Le système de chauffage fait défaut en décembre. Le locataire a le droit d'exiger du propriétaire la réparation du système;
— la résiliation du contrat, si l'inexécution par le propriétaire cause au locataire un préjudice sérieux;
— la diminution du loyer dans une proportion équivalant à la perte de jouissance.

Dans tous ces cas, le locataire peut, de plus, réclamer des dommages-intérêts pour les dommages subis.

Si le tribunal a accordé une diminution de loyer et que par la suite le propriétaire a remédié au défaut, ce dernier aura droit alors au rétablissement du loyer pour l'avenir.

De plus, si le propriétaire n'effectue pas les réparations et améliorations auxquelles il est tenu, le locataire peut s'adresser au tribunal pour obtenir la permission de retenir le loyer afin de faire procéder auxdites réparations ou améliorations. Le locataire devra ensuite remettre au propriétaire les pièces justificatives des dépenses encourues.

LES OBLIGATIONS DU LOCATAIRE

Les principales obligations du locataire sont au nombre de trois. Il doit user de la chose louée en bon père de famille, payer le loyer et rendre la chose louée à l'expiration du bail.

Le locataire ne peut, en cours de bail, changer la forme ou la destination de la chose.

Monsieur Lachapelle a loué un local pour y installer un magasin pour la vente d'articles ménagers. S'il décide, en cours de bail, de vendre des vêtements pour dames, il ne change pas, en fait, la destination du bail.

Monsieur Hurtubise a loué un local pour y installer un restaurant. N'ayant pas réussi dans cette branche, il décide en cours de bail de changer la destination du local pour en faire un atelier de couture. Ce faisant, il a commis une infraction et le propriétaire pourra demander la résiliation du bail. En effet, si le local loué n'est pas affecté par le changement du genre de commerce comme dans le cas de Monsieur Lachapelle, le changement dans le cas de Monsieur Hurtubise peut porter atteinte à la jouissance paisible des voisins sans compter que l'installation d'un atelier de couture peut affecter matériellement le local loué.

La destination du local loué est généralement prévue dans le bail. Tout changement dans cette destination doit se faire avec le consentement du propriétaire.

Sous-location ou cession du bail. Le locataire qui, pour une raison ou pour une autre, voudrait mettre fin au bail, peut-il sous-louer ou céder son bail à un tiers? Monsieur Forget est subitement atteint d'une maladie et doit fermer sa boutique. Il reste encore six mois à courir avant l'expiration du bail. Monsieur Gingras est disposé à prendre la suite du bail. Monsieur Forget a le droit de lui sous-louer le local ou, mieux encore, de lui céder son bail.

Dans le premier cas Monsieur Gingras ne sera que sous-locataire et Monsieur Forget demeurera responsable à l'égard du propriétaire pour le paiement du loyer. Dans le deuxième cas, en cédant le bail, Monsieur Forget ne sera plus responsable du bail et c'est Monsieur Gingras qui sera tenu de payer le loyer au propriétaire.

Afin de pouvoir sous-louer ou céder un bail, il faut que le locataire obtienne le consentement du propriétaire. Cependant, le propriétaire ne peut refuser son consentement sans motif raisonnable. Monsieur Forget enverra donc un avis au propriétaire lui disant son intention de sous-louer ou de céder son bail. Si le propriétaire ne répond pas dans les 15 jours, il sera réputé avoir consenti (art. 1619).

Par ailleurs, le locataire est responsable des dégradations et des pertes qui surviennent à la chose louée à moins qu'il ne prouve qu'elles ont eu lieu sans faute de sa part ou de celle des personnes à qui il en permet l'accès ou l'usage.

Afin de permettre au propriétaire de se rendre compte de l'état de la chose, la loi oblige le locataire de permettre au propriétaire de vérifier l'état de la chose. Ce dernier devra user de ce droit de façon raisonnable.

Le locataire doit rendre la chose dans l'état où il l'a reçue, sauf les changements résultant de son vieillissement normal, d'un cas fortuit ou d'une force majeure (art. 1623).

Le locataire, qui en cours de bail a effectué des améliorations, pourra les enlever à l'expiration du bail. Si les améliorations ne peuvent être enlevées sans détérioration de la chose, le propriétaire a le droit de les retenir en en payant la valeur, ou de forcer le locataire à les enlever.

L'article 1624 prévoit que si la remise en l'état primitif est impossible, le propriétaire garde les améliorations sans indemniser le locataire.

À notre avis et nonobstant cette disposition de l'article 1624, le tribunal pourra user de son pouvoir discrétionnaire et accorder une indemnité au locataire comme il l'a fait d'ailleurs dans *Voyer c. Poulin* (1971 R.L. 179) en se fondant sur la théorie de l'enrichissement sans cause.

Le locataire est tenu, en cours de bail, d'effectuer les réparations locatives, c'est-à-dire les réparations mineures et d'entretien.

Mais qu'advient-il si le locataire manque à l'une de ses obligations?

Le propriétaire pourra, en plus des dommages-intérêts, réclamer, en vertu de l'article 1628 :
— l'exécution en nature de l'obligation, dans les cas qui le permettent;
— la résiliation du bail, si l'inexécution lui cause un préjudice sérieux.

EXPIRATION DU BAIL

Le bail qui est à durée fixe et déterminée à l'avance cesse à l'arrivée du terme, sans qu'il y ait besoin de donner avis de part ou d'autre. Ainsi un bail fait pour un an cesse à l'expiration de l'année. Un bail fait pour six mois cesse à l'expiration des six mois.

Mais il arrive souvent que la durée du bail n'est pas prévue dans le contrat. Dans ce cas, il faut que la partie qui entend résilier le bail donne à l'autre partie un avis à cet effet.

Monsieur Denis a loué un local moyennant un loyer de $250 par mois. Le contrat ne précise pas la date de l'expiration du bail. Si Denis veut quitter le local, il devra en donner avis au propriétaire. Par contre, si c'est le propriétaire qui veut voir Monsieur Denis quitter les lieux, il devra lui donner un avis à cet effet.

Si le loyer est payable au mois, le préavis doit être d'au moins un mois. Si le loyer est payable à la semaine, le préavis doit être d'au moins une semaine, et ainsi de suite. Mais si le terme du loyer excède trois mois, le préavis sera quand même de trois mois.

Mais si la chose louée est un bien meuble le préavis sera de trois jours.

En cas de décès du propriétaire ou du locataire le bail n'est pas résilié, affirme l'article 1632.

Les règles que nous venons d'étudier s'appliquent à tous les baux en général. Nous passons maintenant à l'étude du bail immobilier et, surtout, aux dispositions particulières du bail d'un local d'habitation.

LE BAIL IMMOBILIER

Le locataire doit se conduire de façon à ne pas troubler la jouissance normale des autres locataires du même immeuble.

Monsieur Larose est un bon vivant. Tous les vendredis soir il invite chez lui tous ses camarades du bureau et organise des "party" qui durent jusqu'aux petites heures du matin. Le chahut qui accompagne inévitablement ce genre de réunions incommode grandement les voisins qui menacent le propriétaire de résilier leur bail. Jusqu'au 1er janvier 1974, le propriétaire n'était pas tenu de garantir à son locataire la bonne conduite des voisins de ce locataire. Aujourd'hui le locataire qui se conduit de façon à troubler la jouissance normale des autres locataires est responsable des dommages causés par sa conduite et il doit en répondre envers le propriétaire et, également, envers les autres locataires lésés.

Les voisins de Monsieur Larose pourront donc résilier leur bail si, après avoir averti le propriétaire, ce dernier n'a rien fait pour obliger Monsieur Larose à écourter ses "party" ou à les organiser ailleurs. Ils pourraient également demander une diminution de loyer.

Supposons que Monsieur Larose ne veuille pas donner suite aux remarques de son propriétaire, ce dernier aura le droit, en vertu de l'article 1635, de résilier le bail de Monsieur Larose.

LE BAIL D'UN LOCAL D'HABITATION

Résumons ici les dispositions les plus importantes de la loi.

Si le locataire est en retard dans le paiement du loyer, le propriétaire ne pourra demander la résiliation du bail pour défaut de paiement du loyer que si le locataire est en retard de plus de trois semaines.

Le propriétaire peut obtenir la résiliation du bail lorsque le local loué menace ruine et devient dangereux pour le public ou pour les occupants.

L'héritier ou légataire du locataire décédé peut résilier le bail en cours à condition d'en donner avis au propriétaire au moins trois mois avant la résiliation. Cet avis doit être envoyé au propriétaire dans les six mois qui suivent le décès du locataire.

Qu'en est-il cependant du cas où le propriétaire vend l'immeuble à une autre personne? Le nouveau propriétaire est-il tenu de respecter les baux conclus entre l'ancien propriétaire et les locataires?

L'article 1646 prévoit que le changement de propriétaire "ne met pas fin de plein droit au bail à durée fixe...". Toutefois s'il s'agit d'un bail de plus de douze mois, le nouveau propriétaire ne sera lié par le bail que pour une période de douze mois commençant à courir à partir de la date de l'acquisition de l'immeuble à moins que le bail ne soit enregistré.

Il est donc recommandable qu'un locataire qui a un bail de plus de douze mois enregistre son bail au bureau d'enregistrement du district judiciaire où se trouve l'immeuble.

Le propriétaire n'a pas le droit d'exiger un dépôt du locataire ni des chèques postdatés. Il ne peut exiger d'avance que le paiement d'un terme de loyer, ou, si ce terme excède un mois (le loyer étant payable tous les 3 mois ou tous les 6 mois), le paiement d'un mois de loyer.

De plus, est sans effet toute clause contenue dans le bail ayant un effet discriminatoire en raison de la race, la croyance, le sexe, la couleur, la nationalité, l'origine ethnique, le lieu de naissance ou la langue d'un locataire, ou l'existence d'enfants dans la famille du locataire.

Depuis le 1er janvier 1974, il existe un bail type imposé par la loi et contenant toutes les clauses que la loi a rendues obligatoires.

LA PROLONGATION DU BAIL

À moins d'un avis contraire de la part du propriétaire ou du locataire, tous les baux qui se terminent le 30 juin 1977 sont prolongés jusqu'au 30 juin 1978. Le législateur a voulu mettre fin à l'exode du 1er mai qui occasionnait des déplacements massifs à cette période de l'année. On peut maintenant conclure un bail à n'importe quelle période de l'année et expirant à n'importe quelle période de l'année.

Quelles sont les règles quant à la prolongation des baux? Nous ne traitons pas des baux à durée indéterminée. En effet, ces baux restent en vigueur tant et aussi longtemps qu'une partie n'a pas donné à l'autre un avis pour mettre fin au bail. Lorsqu'on parle de prolongation, on parle uniquement des baux à durée fixe, c'est-à-dire à durée déterminée à l'avance dans le bail lui-même.

Douze mois ou plus : la loi prévoit que tout bail à durée fixe de douze mois ou plus est, à son terme, *prolongé* pour une période de douze mois.

Moins de douze mois : la loi prévoit que tout bail à durée fixe de moins de douze mois est, à son terme, *prolongé* pour une même période.

Cette prolongation ne s'applique pas :
— au bail d'une chambre;
— au bail d'une maison de chambres dans laquelle au moins trois chambres sont habituellement données à bail par le locataire;
— au bail d'un local utilisé à des fins de villégiature : maison d'été, chalet d'hiver, etc.;
— au bail consenti par un employeur à son employé accessoirement à un contrat de travail.
La partie, propriétaire ou locataire, qui veut éviter cette prolongation automatique du bail, doit en donner avis à l'autre partie dans les délais prévus à l'article 1661 du Code civil. La partie qui reçoit cet avis et veut le contester doit recourir à la Régie des loyers dans les délais prévus à l'article 19a de la Loi pour favoriser la conciliation entre locataires et propriétaires.

LA COMMISSION DES LOYERS

Elle est mieux connue du public sous le nom de "Régie des loyers". Il y a deux instances à la Régie des loyers. Il y a d'abord une première instance (ou palier si l'on préfère) représentée par l'Administrateur des loyers, sorte de tribunal administratif. On peut en appeler des décisions de l'Administrateur des loyers auprès de la Commission des loyers.

Compétence de l'Administrateur. L'Administrateur des loyers a juridiction pour entendre toute question relative à la prolongation d'un bail, à sa résiliation et à la fixation du loyer.

Monsieur Turcotte a reçu de son propriétaire un avis lui annonçant une augmentation de loyer. Il peut contester cette augmentation auprès de l'Administrateur des loyers.

Monsieur Marchand a reçu un avis de son propriétaire lui annonçant qu'il devra quitter le logement le 31 octobre 1977, date de l'expiration de son bail. Monsieur Marchand pourra contester cet avis de non-prolongation auprès de l'Administrateur des loyers.

Mademoiselle Gagnon vient de signer un bail. Le loyer mensuel est de $125. Elle apprend, par une indiscrétion du concierge, que Monsieur Gilbert, le locataire précédent, payait $95. Elle pourra porter le cas à l'attention de l'Administrateur des loyers. Ce dernier décidera si cette augmentation par rapport au bail précédent est justifiée ou abusive.

● Pour de plus amples détails sur les baux des maisons d'habitation, consulter notre ouvrage, *Le Locataire et son nouveau bail,* écrit en collaboration avec Me Paul-Émile Marchand et publié à Montréal en 1974 aux Éditions Aquila.

Chapitre 8

Quelques contrats

LE MANDAT

Le mandat est le contrat par lequel une personne, appelée "mandant", donne à une autre, appelée "mandataire", le pouvoir d'accomplir en son nom un ou plusieurs actes juridiques.

Le mandat est un contrat à titre gratuit à moins qu'il n'y ait, dans le contrat, stipulation d'un salaire ou d'une rémunération quelconque en faveur du mandataire, ou qu'il n'y ait un usage contraire, reconnu.

Le mandat peut être spécial pour une affaire en particulier ou pour certaines affaires seulement, ou général pour toutes les affaires du mandant.

Pierre donne mandat à Robert pour vendre sa voiture au meilleur prix. C'est un mandat spécial puisqu'il s'agit d'une affaire en particulier, celle de la vente de la voiture.

Cependant, les procurations données aux mandataires sont souvent mal rédigées et, dans la crainte de leur donner des pouvoirs insuffisants, on s'exprime volontiers en termes généraux. On dira, par exemple : " Le mandataire sera chargé de faire tout ce qui est utile à l'intérêt du mandant."

La loi a voulu protéger le mandant, dans ces cas, et a prévu que "Le mandat conçu en termes généraux n'embrasse que les actes d'administration" (art. 1703 C.C.).

Dès qu'il accepte le mandat, le mandataire est tenu de l'accomplir. Il répond des dommages-intérêts qui peuvent résulter de l'inexécution du mandat.

Le mandataire n'est pas tenu à l'impossible (nul ne l'est d'ailleurs). Tout ce qu'on lui demande, dans l'exécution du mandat, c'est d'agir avec l'habileté convenable et tous les soins d'un bon père de famille.

Néanmoins, la responsabilité relative aux fautes est appliquée moins rigoureusement par le tribunal à celui dont le mandat est gratuit qu'à celui qui reçoit un salaire.

Le mandataire ne doit pas excéder les pouvoirs contenus dans son mandat. Julien charge Albert de vendre sa voiture pour $1 000. Albert la vend pour $900. Il a excédé ses pouvoirs. Mais s'il la vend pour $1 100, il n'est pas censé avoir excédé les bornes de son mandat puisqu'il l'a rempli d'une manière plus avantageuse pour le mandant.

À l'expiration du mandat, le mandataire doit rendre compte au mandant de sa gestion et lui remettre les sommes reçues en vertu de son mandat.

Le mandant, de son côté, est tenu d'exécuter les engagements contractés par le mandataire, conformément au pouvoir qui lui a été donné. Reprenons l'exemple cité plus haut. Julien donne mandat à Albert pour la vente de sa voiture. Albert vend la voiture. Julien est tenu d'exécuter l'engagement pris par Albert et qui consiste à livrer la voiture vendue.

De plus, le mandant doit rembourser au mandataire tous les frais que ce dernier a encourus dans l'exécution de son mandat, à moins de dispositions spéciales dans le mandat. Ainsi, le contrat peut stipuler que le mandataire exécute le mandat à ses propres frais mais a droit à une commission sur les affaires réalisées.

Le mandant peut à tout instant révoquer le mandat, de même que le mandataire peut à tout moment renoncer au mandat.

L'accomplissement de l'affaire faisant l'objet du mandat met fin *ipso facto* à ce dernier. Il en va de même pour l'expiration du temps du mandat : si le mandat est fait pour un temps déterminé, l'expiration du temps met fin au mandat.

La mort du mandant ou du mandataire met fin au mandat car c'est un principe traditionnel que le mandat est donné et reçu en considération de la personne.

JURISPRUDENCE

Dame Viger demande à un agent d'assurance d'assurer son immeuble contre le feu pour un montant de $16 666. Au lieu de l'assurer pour ce montant, l'agent assure l'immeuble pour un montant de $7 500 sans aviser Dame Viger de ce changement.

L'immeuble est détruit par un incendie et l'assurée apprend que son immeuble n'était assuré que pour $7 500 au lieu de $16 666. Elle reproche à son agent d'assurance de ne l'avoir pas protégée, suivant le mandat qu'il avait assumé, et de ne l'avoir pas *avertie du changement effectué dans le montant de sa police d'assurance. Elle le tient responsable de la perte qu'elle subit, soit la différence entre $16 666 et $7 500.*

La Cour supérieure lui donne raison et lui accorde le montant de cette différence, soit $9 166. En effet, le tribunal en est arrivé à la conclusion qu'à la suite des actes de l'agent, de son imprudence, de son désintéressement et de son défaut d'avoir exécuté son mandat, la demanderesse a manifestement subi une perte de $9 166 (1970 C.A. 897).

LE PRÊT

Il y a deux espèces de prêts. Dans l'une la chose prêtée doit être rendue dans son individualité, l'emprunteur étant seulement autorisé à s'en servir pendant la durée du prêt : c'est le prêt à usage. Dans l'autre, l'emprunteur est autorisé à disposer des choses empruntées quitte à en rendre d'autres semblables dans un délai déterminé : c'est le prêt de consommation.

LE PRÊT À USAGE

Le prêt à usage est donc un contrat par lequel l'une des parties, appelée prêteur, livre une chose à l'autre partie, appelée emprunteur, pour s'en servir, à charge pour cette dernière de la rendre après s'en être servie.

Il y a ainsi deux parties : le prêteur et l'emprunteur. Ce contrat est essentiellement gratuit. Jacques prête sa voiture à Pierre. Il ne perçoit rien. En effet, si Jacques devait percevoir une rémunération quelconque, il ne s'agirait plus d'un contrat de prêt mais d'un contrat de louage de choses. On voit que le prêteur demeure propriétaire de la chose prêtée.

Tout ce qui est dans le commerce et qui ne se consomme pas par l'usage peut être l'objet du contrat de prêt à usage.

L'emprunteur a trois obligations principales :
— veiller à la garde et à la conservation de la chose "en bon père de famille". Si donc la chose se détériore par le seul effet de l'usage pour lequel elle a été empruntée, et sans aucune faute de la part de l'emprunteur, ce dernier n'est pas tenu responsable de la détérioration;

— se borner à l'usage expressément ou tacitement convenu. Si Jacques me prête sa voiture pour mon usage personnel, je n'ai pas le droit, à mon tour, de la prêter à Pierre;

— restituer la chose à l'expiration du prêt.

Quant au prêteur, il n'est en principe obligé à rien. On ne peut même pas dire que le prêteur est obligé de livrer la chose qui fait l'objet du contrat de prêt, puisque le contrat n'existe qu'au moment de la livraison et par cette livraison. Le Code civil parle quand même des obligations du prêteur. Les voici :
— Le prêteur a accordé à l'emprunteur un terme pour l'usage de la chose. Le prêteur devra, par conséquent, respecter ce terme et ne pas retirer la chose de l'emprunteur avant l'expiration du terme. Jacques me prête sa voiture pour un mois. Il ne pourra pas me la retirer avant l'expiration du mois, sauf accord entre nous pour écourter le terme. Cependant dans un esprit de justice et d'équité, le Code prévoit que,dans le cas d'un besoin pressant et imprévu de la chose, le prêteur peut demander au tribunal d'obliger l'emprunteur à rendre la chose;
— Le prêteur doit rembourser à l'emprunteur les dépenses faites par lui pour la conservation de la chose. Il ne s'agit évidemment pas de n'importe quelles dépenses mais de celles qui sont extraordinaires, nécessaires et tellement urgentes que l'emprunteur n'a pu en prévenir le prêteur;
— Le prêteur doit indemniser l'emprunteur du dommage qu'ont pu lui causer les défauts de la chose prêtée, à condition que le prêteur ait connu ces défauts et n'en ait pas averti l'emprunteur.

LE PRÊT DE CONSOMMATION

Le prêt de consommation, ou simple prêt, est un contrat par lequel l'une des parties (le prêteur) livre à l'autre (l'emprunteur) une certaine quantité de choses qui *se consomment par l'usage*, à charge pour l'emprunteur de les restituer au prêteur en même quantité, de même espèce et qualité.

Si je prête du vin, il faut qu'on me rende du vin en même quantité et qualité. Si on me rend de l'argent, ce n'est plus un prêt mais une vente. Si on me rend du blé, ce n'est plus un prêt mais un échange.

Il existe une différence essentielle entre le prêt à usage et le prêt de consommation. Dans le premier, la propriété de la chose prêtée reste celle du prêteur tandis que dans le prêt de consommation, l'emprunteur devient le propriétaire de la chose qu'il emprunte.

LE PRÊT À INTÉRÊT

C'est surtout aux prêts d'argent que s'applique la stipulation d'intérêts. L'intérêt est soit légal soit conventionnel. Le taux de l'intérêt légal est fixé par la loi à 5 o/o par année. Le taux conventionnel ne connaît pas de plafond. Je peux prêter au taux annuel de 30 o/o si l'emprunteur accepte.

On conçoit aisément le danger représenté par ceux qui cessent d'être des prêteurs pour devenir des usuriers et dont les victimes sont les personnes à revenu modique. La loi a voulu atténuer la liberté conventionnelle consacrée par le Code civil : c'est la Loi sur les petits prêts.

La Loi sur les petits prêts. Cette loi fédérale a pour but de protéger les particuliers des taux d'intérêt exorbitants. Elle définit un petit prêt comme un prêt personnel d'au plus $1 500 consenti en espèces. Un prêt de $1 500.90, par exemple, n'est pas assujetti à cette loi puisqu'il est supérieur au maximum prévu.

Il y a deux catégories de prêteurs par rapport au permis annuel du ministre des Finances : ceux qui ont le permis et ceux qui ne l'ont pas.

Prêteurs non détenteurs du permis : le taux d'intérêt maximum qu'ils peuvent exiger est de 1 o/o par mois, c'est-à-dire un maximum de 12 o/o par année, y compris frais dits de service ou d'administration.

Prêteurs détenteurs du permis : ils peuvent exiger l'intérêt maximum suivant :

— 2 o/o par mois sur les premiers $300 du solde;
— 1 o/o par mois sur la tranche de $300 à $1 000;
— 1/2 o/o par mois sur le reste.

Ce n'est pas un taux d'intérêt à proprement parler puisqu'il inclut tous les frais d'administration, de service et autres.

De son côté, la Loi de la protection du consommateur exige que le commerçant qui consent un prêt d'argent à un consommateur lui fournisse un écrit énonçant notamment le nom et l'adresse du commerçant, la somme effectivement reçue par le consommateur, le coût de l'assurance du prêt, le taux du crédit, le coût du crédit en dollars, les modalités de paiement, etc.

Qu'arrive-t-il si le montant du prêt est supérieur à $1 500 et que le taux d'intérêt exigé est exorbitant?

Si le contrat de prêt est conclu entre un commerçant et un consommateur, le consommateur pourrait invoquer l'article 118 de la Loi de la protection du consommateur qui dit :
"Tout consommateur dont le commerçant a exploité l'inexpé-

rience peut demander la nullité du contrat ou la réduction de ses obligations si celles-ci sont considérablement disproportionnées par rapport à celles du commerçant."

Le Code civil vient aussi au secours de l'emprunteur cruellement exploité. Étant donné l'importance de l'article 1040c du Code civil nous en reproduisons textuellement les deux premiers paragraphes : "Les obligations monétaires découlant d'un prêt d'argent sont réductibles ou annulables par le tribunal dans la mesure où il juge, eu égard au risque et à toutes les circonstances, qu'elles rendent le coût du prêt excessif et l'opération abusive et exorbitante.
À cette fin, le tribunal doit apprécier toutes les obligations découlant du prêt en regard de la somme effectivement avancée par le prêteur nonobstant tout règlement de compte, et toute novation ou transaction."

Que signifie cette disposition du Code civil? Prenons le cas de Pierre. Il doit de l'argent à la banque, à des fournisseurs, à son propriétaire... Il a encore besoin d'argent et personne ne veut plus lui prêter. Il s'adresse à une compagnie de finance qui accepte de lui prêter et de prendre, par là , un très grand risque. Elle prête donc à Pierre une somme de $5 000 au taux annuel de 25 o/o.

Dans le cas présent, Pierre ne pourra pas invoquer l'article 1040c devant les tribunaux car le taux de 25 o/o n'est pas exorbitant compte tenu du risque que court ici la compagnie prêteuse.

LE DÉPÔT

Le dépôt est le contrat par lequel l'une des parties (le déposant) confie une chose mobilière et corporelle à la garde de l'autre (le dépositaire) qui s'en charge *gratuitement* et s'engage à la rendre lorsqu'elle en sera requise.

Il y a deux espèces de dépôts, le dépôt simple et le séquestre. Le dépôt simple se divise, à son tour, en dépôt volontaire et dépôt nécessaire.

Tout comme le prêt, le dépôt est un contrat réel qui ne se forme que par la remise de la chose : le dépositaire ne peut être tenu de la rendre que s'il l'a reçue.

LE DÉPÔT VOLONTAIRE

Le dépôt volontaire se forme par le consentement libre et réciproque des deux parties, le déposant et le dépositaire.

Le dépositaire doit apporter, à la garde de la chose déposée, les mêmes soins qu'il apporte à la garde des choses qui lui appartiennent, c'est-à-dire les soins d'un bon père de famille.

Le dépositaire ne peut pas se servir de la chose déposée auprès de lui sans la permission de celui qui en a fait le dépôt. Je pars en voyage et laisse ma voiture en dépôt chez un ami. Il n'aura pas le droit d'en faire usage sans ma permission.

La deuxième obligation du dépositaire est la restitution de la chose au terme convenu, ou à première réquisition quand aucun délai n'a été fixé. L'objet restitué doit être rigoureusement le même que celui qui avait été déposé. Le dépositaire est libéré par la perte fortuite, et, en fait de détériorations, il ne répond que de celles qui sont survenues par son fait (art. 1805 C. C.).

La restitution doit inclure les fruits de la chose déposée. Si j'ai laissé ma vache en dépôt auprès de mon ami Jules, il devra à la restitution me remettre également les petits que la vache aura eus pendant la durée du dépôt.

La personne qui a fait le dépôt est tenue de rembourser au dépositaire les dépenses qu'il a encourues pour la conservation de la chose déposée, et de l'indemniser de toutes les pertes que le dépôt peut lui avoir occasionnées (art. 1812 C.C.).

Le dépositaire a un droit de rétention, c'est-à-dire qu'il peut retenir le dépôt jusqu'à l'entier paiement de ce qui lui est dû à raison du dépôt.

La Loi du dépôt volontaire (Loi Lacombe). Le débiteur qui ne peut plus faire face à ses dettes et qui est harcelé par ses créanciers peut éviter que ceux-ci saisissent son salaire ou ses meubles en s'inscrivant au service des dépôts volontaires du ministère de la Justice.

Pour s'inscrire à ce service, le débiteur doit se présenter au greffe de la Cour provinciale de son district judiciaire et y faire une déclaration assermentée qui doit contenir, entre autres, les renseignements suivants :

- son nom et son prénom;
- son adresse;
- le nom et l'adresse de son employeur;
- le montant de son salaire;
- ses charges de famille;
- le nom et l'adresse de chaque créancier ainsi que la nature et le montant de chacune de ses dettes.

À partir du moment où un débiteur est inscrit au service des dépôts volontaires, tous les créanciers en sont avisés par ce service et ils ne peuvent plus saisir les biens de ce débiteur.

De son côté, le débiteur, dans les cinq jours de la réception de son salaire, doit en déposer la partie saisissable au service des dépôts volontaires. C'est le service qui, à son tour, paie les créanciers.

LE DÉPÔT NÉCESSAIRE

Le dépôt nécessaire est celui dans lequel le déposant n'a pas pu choisir librement la personne du dépositaire, parce qu'il a agi sous la crainte d'un fléau subit, incendie, inondation, pillage, etc., qui l'a *forcé* à confier les choses déposées entre les mains du premier venu et dans la plus grande précipitation.

En principe, le dépôt nécessaire est soumis aux mêmes règles que le dépôt ordinaire. La loi n'y déroge qu'en matière de preuve : le dépôt nécessaire peut être prouvé par témoins (art. 1233, par. 4). L'écrit n'est donc pas nécessaire ni pour prouver le dépôt, ni pour établir la consistance et la valeur des objets déposés puisqu'on n'a eu ni le temps ni les moyens de se procurer une preuve écrite.

La loi a assimilé le dépôt fait par les voyageurs chez les hôteliers et aubergistes au dépôt nécessaire. Je suis en voyage, je descends dans un hôtel et dépose mes effets dans ma chambre. L'hôtelier est le dépositaire de mes effets. Comme tel il en sera responsable.

La responsabilité de l'hôtelier a été limitée par la loi (art. 1815 C.C.) à une valeur de quarante dollars. Il ne sera responsable de l'excédent que dans deux cas :
— où les biens ou effets ont été volés ou endommagés par sa volonté ou sa faute ou négligence;
— où ces biens ou effets ont été confiés expressément à sa garde. Beaucoup d'hôtels, en effet, invitent leurs clients à déposer à la réception les objets de valeurs, bijoux, etc.

L'hôtelier qui veut limiter sa responsabilité doit faire afficher bien en vue, dans les bureaux, les salles publiques et les chambres à coucher de son établissement une copie de l'article 1815.

Le dépôt chez l'hôtelier étant assimilé au dépôt nécessaire, la preuve testimoniale sera admise.

LE SÉQUESTRE

Le séquestre est le dépôt d'une chose litigieuse entre les mains d'un tiers, en attendant le règlement de la contestation entre ceux qui prétendent avoir des droits sur cette chose.

Le séquestre est soit conventionnel, soit judiciaire.

Le séquestre conventionnel. Une chose litigieuse ne peut être confiée à un séquestre par convention que du consentement de tous ceux qui prétendent y avoir droit.

Le séquestre n'est pas essentiellement gratuit. Contrairement au dépôt, il peut avoir pour objet des biens immeubles aussi bien que des biens meubles.

Les obligations du dépositaire sont les mêmes que celles du locataire dans le contrat de louage. La loi a ainsi assimilé le séquestre à un contrat de louage.

La restitution de la chose ne peut être exigée que par celui qui aura obtenu gain de cause et après le règlement du litige, contrairement au dépôt ordinaire qui est restituable à tout moment.

Le séquestre judiciaire est ordonné par le tribunal. Il oblige le gardien judiciaire, qui est salarié, à conserver les effets séquestrés avec les soins d'un bon père de famille.

Le séquestre judiciaire est réglé par le Code de procédure civile : "Le tribunal peut, d'office ou sur demande, ordonner le séquestre d'une chose mobilière ou immobilière, lorsqu'il estime que la conservation des droits des parties l'exige" (art. 742 C.P.C.).

LE CAUTIONNEMENT

Jacques veut emprunter $5 000 de la Banque nationale. La Banque demande à Jacques de se trouver un "endosseur" qui rembourserait le prêt au cas où Jacques ne le ferait pas. Cet "endosseur" est appelé par la loi "caution".

Le cautionnement est un contrat par lequel la caution, ou garant, s'engage envers le créancier à acquitter la dette du débiteur, si ce dernier n'y satisfait pas lui-même.

Ce n'est donc pas un engagement de pure forme, mais un acte lourd de conséquences. Aussi la loi le protège-t-elle, en prescrivant que le cautionnement *ne se présume pas* : bien qu'il ne soit assujetti à aucune forme, il doit être *exprès* et ne peut s'étendre au-delà des limites spécifiquement établies dans le contrat de cautionnement.

Il n'y a donc pas de cautionnement tacite.

Étant donné qu'il s'agit d'un contrat *subsidiaire*, la caution a droit au bénéfice de *discussion* du débiteur principal dans ses biens, avant de s'exécuter elle-même. On entend par bénéfice de discussion le droit de la caution d'exiger du créancier qu'il réclame le remboursement au débiteur principal d'abord. Ce n'est qu'en cas d'insolvabilité du débiteur principal que le créancier pourra se retourner contre la caution.

La caution qui a déboursé la dette du débiteur principal aura un recours contre ce dernier, par subrogation aux droits du créancier.

Le cautionnement est un contrat *accessoire*. Le but du cautionnement est de procurer une garantie au créancier. Pour que l'accessoire soit valable, il faut que le principal le soit : l'accessoire suit le sort du principal. Si donc l'obligation principale est nulle, le cautionnement le sera également. Ainsi le cautionnement d'une dette de jeu est nul puisque l'obligation découlant d'une dette de jeu est nulle.

Dans la pratique, le cautionnement prend souvent la forme de l'endossement.

Chapitre 9

Libéralités et successions

Tout individu est libre de disposer de ses biens comme il l'entend. Il peut en disposer à titre onéreux, c'est-à-dire contre une compensation matérielle, par l'échange ou la vente. Il peut aussi en disposer à titre gratuit, sans compensation matérielle aucune. Dans ce dernier cas, on parle de *libéralités.*

Il y a deux sortes de libéralités : les donations entre vifs, c'est-à-dire entre deux personnes de leur vivant, et les testaments et les donations à cause de mort.

LES DONATIONS ENTRE VIFS

La donation entre vifs est un acte par lequel le donateur se dépouille à titre gratuit de la propriété d'une chose en faveur du donataire dont l'acceptation est requise. La donation est un contrat.

LA CAPACITÉ

En principe, les personnes capables de contracter peuvent faire et recevoir des donations.

Incapacité du donateur

— *le mineur*, même assisté de son tuteur, ne peut pas faire de donation. Toutefois, le mineur peut faire des donations par contrat de mariage lorsqu'elles ont été faites avec le consentement et l'assistance de ceux dont le consentement est requis pour la validité de son mariage. Ces donations ne peuvent être faites qu'au (futur) conjoint et aux enfants à naître;

— *l'interdit* ne peut pas consentir une donation;

— *le tuteur et le curateur* ne peuvent donner les biens qui leur sont confiés. Ils peuvent, cependant, dans l'intérêt de leur charge, donner des sommes modiques;

— *les concubins* ne peuvent pas se faire de donations sauf les aliments (logement, nourriture, habillement).

IRRÉVOCABILITÉ DES DONATIONS

Contrairement aux autres contrats, qui peuvent être révoqués de l'accord des parties, la donation entre vifs est un contrat irrévocable.

Cependant, la loi a prévu certains cas où les donations sont révocables :

— pour cause d'ingratitude de la part du donataire. Il y a ingratitude :

  — si le donataire a attenté à la vie du donateur;
  — s'il s'est rendu coupable envers lui de sévices, délits majeurs ou injures graves;
  — s'il refuse des aliments au donateur;

— par l'effet de la condition résolutoire dans les cas où elle peut être validement stipulée;
— pour les autres causes de nullité des contrats en général.

JURISPRUDENCE

Il s'agit d'une action intentée par madame demandant le paiement des donations que lui avait consenties son mari par contrat de mariage. Ce dernier demande au tribunal l'annulation de ces donations pour cause d'ingratitude de sa femme.

Voici les faits.

En juillet et novembre 1969, et subséquemment, madame a commis l'adultère. Le 18 novembre, elle a déserté le domicile conjugal avec une partie des meubles du ménage, abandonnant son mari et leurs quatre enfants.

En 1971, un jugement de divorce est prononcé accordant la garde des enfants au mari. En 1972, madame demande l'exécution des donations prévues au contrat de mariage. Le mari invoque l'ingratitude de sa femme.

Le tribunal ne peut pas appliquer l'article 813 C.C. qui traite de la révocabilité des donations pour cause d'ingratitude et ce à cause de l'article 814 C.C. qui dit que :
"La demande en révocation pour cause d'ingratitude doit être formée dans l'année du délit imputé au donataire, ou dans l'année à compter du jour où ce délit a pu être connu du donateur."

Or, "l'ingratitude" de madame date, ici, de plus d'un an. Le tribunal ne rejette pas, pour autant, la défense du mari et trouve, pour l'annulation des donations, un autre fondement juridique, celui de l'article 208 C.C. relatif aux effets de la séparation et du divorce sur le régime matrimonial. En effet, traitant des donations faites par contrat de mariage, cet article édicte que :
"(...) le tribunal peut (...) les déclarer forfaites en prenant en considération l'état et la condition des parties, leur situation lors de

la signature du contrat de mariage et les circonstances dans lesquelles il a été conclu, la gravité des torts de l'un des époux envers l'autre, et les autres circonstances."

Les torts de madame sont tellement graves que le tribunal décide de révoquer et annuler les donations. Le juge Langlois en profite pour nous donner une leçon de langue française :
"le soussigné a cherché en vain dans les dictionnaires de langue française la justification de déclarer "forfaite" la donation de $5 000." (1973 C.S. 562).

* * *

De son vivant, un homme avait contracté une police d'assurance et avait désigné sa concubine comme bénéficiaire. Au décès de son mari, l'épouse invoque l'article 768 C.C. qui dit que :
"Les donations entre vifs faites par le donateur à celui ou à celle avec qui il a vécu en concubinage (...) sont limitées à des aliments."

L'épouse réclame donc le produit de la police d'assurance. Le tribunal n'est cependant pas de son avis et décrète que la concubine désignée comme bénéficiaire d'une police d'assurance a le droit d'en recueillir le produit au décès de l'assuré, vu qu'il ne s'agit pas d'une donation inter vivos, *mais d'une disposition "à cause de mort" (1970 C.S. 521).*

La donation des biens à venir est nulle, car la donation ne peut être considérée que pour des biens présents. Une exception pourtant : on peut donner des biens futurs par contrat de mariage.

L'acte de donation ainsi que l'acceptation doivent être faits devant notaire et reçus en minute, sous peine de nullité. Cette règle, absolue pour les immeubles, ne l'est pas pour les choses mobilières. Ces dernières peuvent être valablement données par contrat sous seing privé ou même verbal quand la donation est accompagnée de la délivrance de la chose. C'est le *don manuel.*

Le don a pour effet de transférer la propriété de la chose donnée du donateur au donataire. Pour comprendre les obligations du donataire, il nous faut tout d'abord distinguer entre les trois espèces de donataires :
— le donataire universel est le bénéficiaire du don de l'universalité (totalité) des biens présents du donateur;
— le donataire à titre universel est le bénéficiaire d'une quote-part des biens présents du donateur, par exemple de la moitié, du quart, ou d'une catégorie de biens, par exemple de tous les immeubles du donateur;

— le donataire à titre particulier est le bénéficiaire d'un bien déterminé, par exemple,la maison, la voiture, etc.

Le donataire universel est tenu personnellement de la totalité des dettes que le donateur avait lors de la donation. On comprend aisément que la loi ait laissé le donataire libre d'accepter la donation ou d'y renoncer.

Le donataire à titre universel est tenu personnellement des mêmes dettes mais en proportion de ce qu'il reçoit. S'il reçoit la moitié des biens, il sera tenu de payer la moitié des dettes, etc.

Enfin, le donataire à titre particulier n'est pas tenu personnellement des dettes du donateur. Il peut, dans le cas de poursuite hypothécaire, abandonner l'immeuble hypothéqué.

LES TESTAMENTS

Le testament est un acte juridique unilatéral par lequel le testateur se dépouille de ses biens pour n'avoir effet qu'après son décès. Contrairement à la donation entre vifs, le testament est essentiellement révocable.

Le testament étant un acte juridique, tout comme la donation entre vifs, il faut que son auteur (le testateur) ait la capacité juridique d'exercice, c'est-à-dire qu'il soit majeur non interdit.

Pour recevoir par testament, la capacité de jouissance suffit.

La capacité du testateur se considère au temps de son testament tandis que la capacité de recevoir se considère au moment de la mort du testateur.

Jean-Paul a dix-sept ans et fait son testament. Il meurt trois ans plus tard, à l'âge de 20 ans. Le testament est nul parce que, au moment où il a été fait,le testateur était mineur et par conséquent n'avait pas le droit de tester.

Pierre fait son testament. Il lègue tous ses biens à son frère Richard. Richard meurt avant Pierre. N'étant plus vivant au décès du testateur, Richard n'aura pas la capacité de recevoir.

Une personne peut disposer de ses biens comme elle l'entend sans restriction aucune sauf atteinte à l'ordre public ou aux bonnes mœurs. Je peux léguer tous mes biens à la Société protectrice des animaux et laisser ma femme et mes douze enfants dans le dénuement le plus complet. La loi a en effet consacré la liberté illimitée de tester : "Tout majeur sain d'esprit et capable d'aliéner ses biens peut en disposer librement par testament. . . soit en faveur de son conjoint en mariage, ou de l'un ou de plusieurs de ses enfants, soit en faveur de toute autre personne capable d'acquérir et de posséder, sans réserve, restrictions ni limitation. . ." (art. 831 C.C.).

Le testament peut être fait dans l'une des formes suivantes :
— la forme notariée ou authentique;
— la forme requise pour le testament olographe;
— par écrit devant témoins, d'après le mode dérivé de la loi d'Angleterre.

Le testament suivant la forme **notariée ou authentique** est celui qui est reçu devant deux notaires, ou devant un notaire et deux témoins majeurs, et fait en minute. On entend par minute l'original d'un acte authentique dont le dépositaire ne peut se dessaisir. Aucune terminologie spécifique n'est nécessaire pourvu que l'intention du testateur soit clairement énoncée dans le testament.

Le testament olographe est le testament qui est, en entier, écrit et signé de la main du testateur. La date n'est pas légalement requise malgré les problèmes que cela peut présenter dans le domaine de la preuve et de la vérification. Pas de témoins non plus.

L'écriture de la main propre du testateur est indispensable.

Le testament suivant la forme dérivée de la loi d'Angleterre est celui qui est signé par le testateur devant deux témoins. Il suffit donc pour que le testament soit valide, dans cette forme, qu'il porte trois signatures, celles du testateur et des deux témoins.

Le document suivant est contesté devant les tribunaux :

"Laval, le 2 septembre 1972

J'autorise mon mari Armand à demeurer dans ma maison située sur ma terre à St-Ours, toute sa vie durant. Je l'autorise aussi à vendre ou à échanger ma terre et ma maison et tout ce qui se trouve sur cette terre et dans la maison et à en disposer comme il l'entendra. Je m'engage aussi à ne pas vendre en partie ou en tout ma terre et ma maison.

En foi de quoi j'ai signé ce deuxième jour de septembre 1972.

Mme Armand...

Mme Antonia...

Claude... *Mme Alyne...* "

Afin de décider s'il s'agit ici d'un testament la Cour se demande si l'écrit soumis revêt l'une des formes testamentaires reconnues par notre droit. Elle en vient à la conclusion qu'il ne s'agit pas d'un testament parce qu'il n'a pas été rédigé suivant les formes prescrites pour valoir comme testament valide. Voici pourquoi :

Il faut éliminer le testament olographe car il est assez clair qu'il n'a pas été écrit de la main de la "testatrice".

Est-il valide comme ayant été fait suivant la forme dérivée de la loi d'Angleterre? La Cour ne le croit pas puisque l'écrit en question ne respecte pas les exigences de l'article 851 C.C. qui édicte notamment que le testament :
"doit être rédigé par écrit et signé (...) par le testateur (...) laquelle signature est alors ou ensuite reconnue par le testateur comme apposée À SON TESTAMENT (...) ".

Dans le tome 5 du Traité de droit civil du Québec *(p. 333), Hervé Roch écrit :*
"il nous faut conclure que les mots "laquelle signature est reconnue comme apposée à son testament" signifie la reconnaissance par le testateur, d'une façon ou d'une autre, non seulement de sa signature mais aussi que le document auquel il appose ou a apposé sa signature est bien son testament...".

Le juge Philippe Pothier déclare alors qu'en l'absence de cette déclaration ou reconnaissance de la testatrice qu'il s'agit bien d'un acte de dernière volonté, le document peut aussi bien être considéré comme un acte entre vifs.

L'Honorable juge conclut :
"Considérant que les formalités auxquelles sont assujettis les testaments doivent être observées à peine de nullité (art. 855 C.C.); considérant que l'écrit présenté à la Cour pour vérification ne présente aucune des formes établies par la loi pour disposer de ses biens à cause de mort et ne peut faire l'objet d'une vérification; pour ces motifs, la Cour rejette la requête (en vérification) (...)" (1975 C.S. 434).

●

Les légataires ne sont pas obligés d'accepter les legs à la mort du testateur, tout comme le donataire n'était pas obligé d'accepter les donations entre vifs. Les légataires ont donc le choix entre accepter le legs ou y renoncer.

L'acceptation du legs peut être formelle (j'accepte) ou présumée, tacite. L'acceptation formelle ne pose pas de problème tandis que l'acceptation tacite peut parfois prêter à confusion. L'acceptation est présumée quand le légataire accomplit un acte qui traduit clairement son intention d'accepter.

Paul lègue son immeuble à Édouard. Édouard ne dit pas formellement qu'il accepte le legs mais il vend la maison à un tiers. Ayant ainsi disposé du legs, Édouard a tacitement accepté ce legs.

Cependant, si le légataire effectue un acte de pure administration ou un acte conservatoire, il n'est pas réputé avoir tacitement accepté. Si je gère le magasin que mon oncle m'a légué, j'accomplis un acte de pure administration et je ne suis pas, par conséquent, considéré comme ayant accepté le legs.

La renonciation ne se présume pas. Elle se fait par acte devant notaire ou par une déclaration judiciaire.

LA RÉVOCATION DES TESTAMENTS

Nous avons déjà vu que le testament est un acte juridique révocable. C'est-à-dire que le testateur peut à tout moment révoquer son testament. La révocation peut se faire :
— par un testament postérieur qui le révoque expressément ou tacitement par la nature de ses dispositions. Exemple d'une révocation expresse : "Je révoque mon testament du . . . ". Exemple

de la révocation tacite du testament par lequel je laissais ma voiture à mon frère : je vends la voiture ou la donne à une autre personne. Le fait d'avoir disposé de mon vivant de l'objet du legs rend le legs nul;

— par un acte devant notaire ou par tout autre acte écrit, par lequel le changement de volonté est expressément constaté;

— par la destruction du testament olographe ou de celui établi en la forme dérivée de la loi d'Angleterre. La destruction peut être faite soit par le testateur lui-même, soit sur son ordre. Elle peut résulter d'un cas fortuit, indépendant de la volonté du testateur. Dans ce dernier cas, s'il a eu connaissance de la destruction ou de la perte du testament et que malgré cela il n'a pas fait un autre testament, on interprétera son attitude comme étant une révocation tacite du testament.

Il n'est pas nécessaire que la révocation expresse soit faite dans la même forme que le testament révoqué. Ainsi, un testament notarié peut être révoqué par un testament olographe et vice versa.

Le testament postérieur qui ne révoque pas expressément les testaments antérieurs n'y annule que les dispositions incompatibles avec les nouvelles ou qui y sont contraires.

Exemple : Je lègue tous mes biens à ma femme, mais laisse ma voiture à mon frère. Dans un testament postérieur, je me limite à cette phrase : "Je lègue ma voiture à ma sœur". La clause par laquelle je léguais mes biens à ma femme demeure valide mais la clause relative à la voiture se trouve révoquée par la clause contraire contenue dans mon testament postérieur.

L'EXÉCUTEUR TESTAMENTAIRE

Il n'est pas indispensable qu'il y ait un exécuteur testamentaire. Cependant dans les successions compliquées et afin d'éviter la chicane parmi les légataires, le testateur, et lui seul, peut nommer une personne qui sera responsable de l'exécution de ses dernières volontés.

Ses responsabilités. L'exécuteur testamentaire n'est pas obligé d'accepter la charge. Cette dernière est gratuite, à moins que le testateur n'ait prévu une rémunération. Mais, s'il n'a pas droit à une rémunération, l'exécuteur testamentaire fait assumer les frais (occasionnés par la charge) à la succession. Tous ses frais de déplacement ainsi que les frais du notaire, etc., seront assumés par la succession, de laquelle il déduira le montant de ces frais.

L'exécuteur testamentaire est appelé à remplir certaines fonctions,

même si elles ne sont pas définies dans son mandat. En effet :
— il fait faire l'inventaire des biens, en y convoquant les légataires, les héritiers et toutes personnes intéressées;
— il procède aux actes conservatoires et autres qui demandent célérité;
— il veille aux funérailles du défunt;
— il fait vérifier le testament et le fait enregistrer dans les cas requis. S'il y a contestation du testament, il peut se rendre partie pour soutenir sa validité;
— il paie les dettes et acquitte les legs.

LES SUCCESSIONS AB INTESTAT

Qu'advient-il si une personne meurt sans laisser de testament ou si son testament n'est pas valide? On dit alors qu'elle est décédée *ab intestat*, c'est-à-dire sans testament.

La succession d'une personne décédée sans testament est réglementée par la loi. C'est pour cette raison qu'on l'appelle succession "légitime".

La loi prévoit que les biens seront dévolus aux plus proches parents du défunt. Faute de parents jusqu'au 12e degré, les biens du défunt vont à la Couronne.

Le défunt peut laisser toute une kyrielle de parents : père, mère, femme, enfants, frères, sœurs, cousins, oncles, neveux, etc.
La loi intervient en statuant d'avance qui hérite et de quelle part. Pour ce faire, la loi distingue trois ordres de parenté en plus du conjoint du défunt. Ce sont :
— les ascendants : père, mère, grand-père, grand-mère, etc.;
— les descendants : fils, fille, petit-fils, arrière-petit-fils;
— les collatéraux : frères, sœurs, cousins, cousines, nièces, etc.

C'est évidemment au parent le plus rapproché, dans sa ligne, que revient la part prévue par la loi. C'est-à-dire que le père prime le grand-père, le fils prime le petit-fils, etc.

Il ne s'agit pas ici d'étudier en détail la succession légitime[1]. D'ailleurs, bon nombre de principes s'appliquent aussi bien à la succession légitime qu'à la succession testamentaire que nous

● 1. Pour une étude détaillée de la succession légitime, le lecteur pourra se référer à notre ouvrage *Précis de droit québécois,* 2e édition, Centre éducatif et culturel, Montréal, 1973.

venons d'étudier. Ainsi, l'héritier, tout comme le légataire, n'est pas tenu d'accepter la succession. Comme lui, s'il l'accepte, il est tenu de payer les dettes du défunt au prorata de sa part dans la succession.

Le degré de parenté se calcule par le nombre de générations en passant toujours par l'auteur commun. Ainsi entre deux frères il y a deux degrés. Entre cousins il y a quatre degrés.

Ceci est très important puisqu'en général le parent au premier degré prime, en cas de succession, le parent au deuxième degré, et ainsi de suite.

Théorie de l'accroissement. Nous avons vu que légataires et héritiers peuvent renoncer à leur part dans une succession. Cette part ira accroître celle des cohéritiers ou colégataires du bénéficiaire renonçant.

Martin décède. Lui survivent sa femme et ses trois enfants Jean-Guy, Paul et Lucien. Paul est dans l'aisance et renonce à sa part dans la succession, soit deux-neuvièmes. L'accroissement ne profitera pas à la mère de Paul, mais uniquement à ses cohéritiers Jean-Guy et Lucien qui recevront chacun le tiers de la succession.

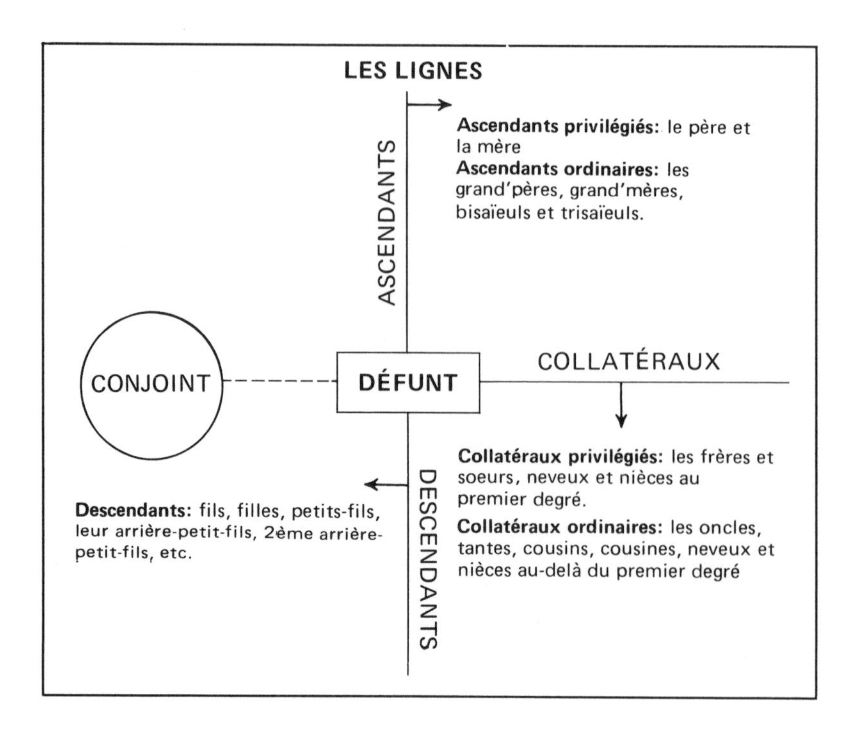

S'il n'y a pas de cohéritiers (héritiers au même degré), la part du renonçant accroîtra celle des héritiers au degré subséquent.

Théorie de la représentation. La représentation, dit l'article 619 C.C., est une fiction de la loi, dont l'effet est de faire entrer les représentants dans la place, dans le degré et dans les droits du représenté.

Raymond décède laissant ses deux fils Roger et Michel, ainsi que Lise, Michèle et Marcel, tous trois enfants de sa fille Agathe, décédée. Roger et Michel recevront chacun un tiers. Le troisième tiers (part d'Agathe) reviendra à Lise, Michèle et Marcel, qui recevront chacun un neuvième. On dira qu'ils viennent à la succession *par représentation* de leur mère décédée, Agathe. Leur part correspond à la part qu'aurait reçue leur mère si elle avait été présente lors du décès de Raymond.

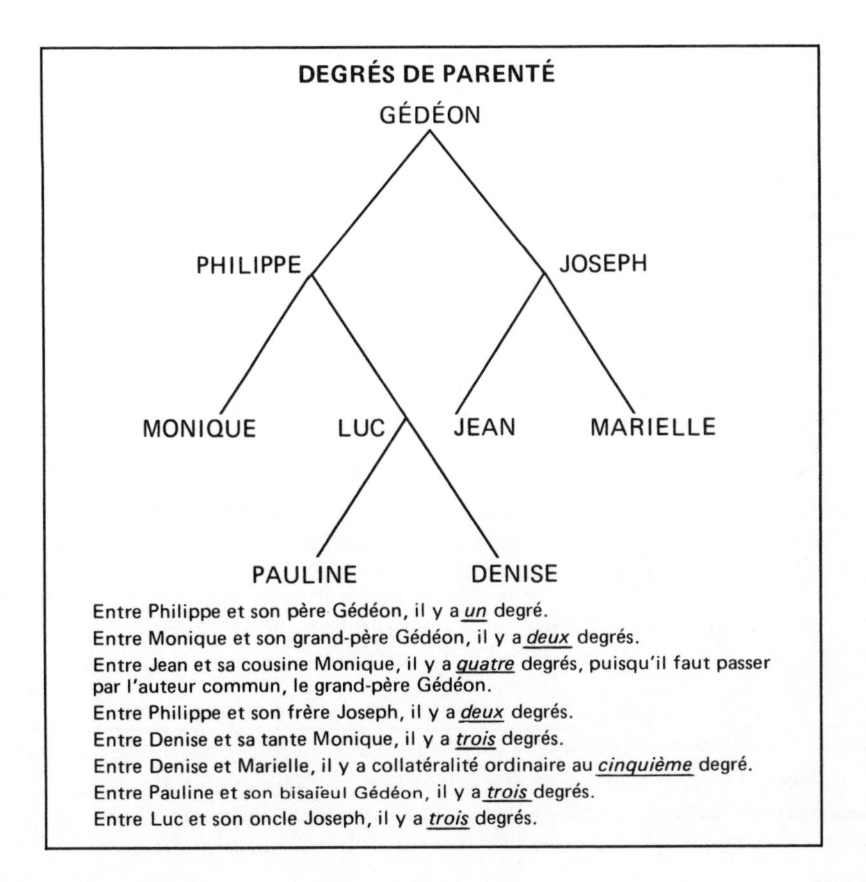

Entre Philippe et son père Gédéon, il y a *un* degré.
Entre Monique et son grand-père Gédéon, il y a *deux* degrés.
Entre Jean et sa cousine Monique, il y a *quatre* degrés, puisqu'il faut passer par l'auteur commun, le grand-père Gédéon.
Entre Philippe et son frère Joseph, il y a *deux* degrés.
Entre Denise et sa tante Monique, il y a *trois* degrés.
Entre Denise et Marielle, il y a collatéralité ordinaire au *cinquième* degré.
Entre Pauline et son bisaïeul Gédéon, il y a *trois* degrés.
Entre Luc et son oncle Joseph, il y a *trois* degrés.

Voici donc comment se font les principales dévolutions successorales de droit, c'est-à-dire en l'absence de toute disposition testamentaire. Supposons que le défunt laisse à sa mort :

— **son conjoint et ses enfants.** Le conjoint survivant prend le tiers, et les enfants, quel que soit leur nombre, prennent les deux-tiers.

Grégoire meurt et laisse sa femme Georgette et sa fille Murielle. Survivent également à Grégoire son père, Joseph, sa mère Marie et son frère Jean. Seules Georgette et Murielle héritent. Georgette prendra le tiers de la succession et Murielle les deux-tiers. Si Murielle avait eu d'autres frères et sœurs, elle aurait partagé avec eux les deux-tiers;

— **son conjoint sans postérité ni ascendants privilégiés ni collatéraux privilégiés.** Le conjoint survivant hérite de la totalité de la succession.

Jean-Guy décède et laisse sa femme Jocelyne. Il ne laisse ni père, ni mère, ni frère, ni sœur. Survivent cependant à Jean-Guy son grand-père Rodolphe et son cousin Arthur. Ces derniers n'héritent pas et Jocelyne, seule, reçoit la totalité de la succession;

— **son conjoint, des ascendants privilégiés et des collatéraux privilégiés.** Le conjoint survivant hérite du tiers, les ascendants privilégiés du deuxième tiers et les collatéraux privilégiés du troisième tiers.

Robert décède et laisse sa femme Annie sans enfants, son propre père Luc (ascendant privilégié) et son frère Roger (collatéral privilégié). Il laisse également son grand-père Réjean (ascendant ordinaire) et Julien, son cousin (collatéral ordinaire). Ces derniers n'héritent pas. Annie prendra le tiers ainsi que Luc et Roger.

— **son conjoint et son propre père.** Chacun hérite de la moitié.

Robert décède sans enfants. Il laisse ses père et mère ainsi que sa femme. Les père et mère se partagent la moitié (chacun prend le quart) et la femme prend la deuxième moitié;

— **son conjoint et ses frères et sœurs.** Le conjoint hérite de la moitié et les frères et sœurs de l'autre moitié;

— **des enfants mais pas de conjoint.** Les enfants prennent la totalité malgré la survivance d'autres parents.

Marie est veuve. À son décès elle laisse trois enfants, son père, des frères et sœurs, oncles et tantes, cousins et cousines. De tout ce monde, seuls les enfants héritent et chacun d'eux prendra le tiers.

Chapitre 10

Le droit des affaires

LES SOCIÉTÉS

L'entreprise à propriétaire unique. Le principe en est le suivant : toute personne peut établir une entreprise en son nom sans autorisation ni formalités préalables.

Les exceptions : doit transmettre au protonotaire de la Cour supérieure une déclaration de raison sociale, toute personne qui, sans être associée avec d'autres, se sert pour raison sociale d'un nom ou d'une désignation autre que son propre nom seul, ou qui se sert de son propre nom avec l'addition des mots "et associés" ou de tout mot ou de toute phrase indiquant une pluralité de membres dans la raison sociale.

La déclaration doit se faire dans les quinze jours de la date à laquelle cette raison sociale est pour la première fois employée, suivant la formule que voici :

FORMULE 3

Déclaration de raison sociale

CANADA
Province de Québec,
Cour supérieure
District de .... ;

Je, ..., de ...., dans ....(épicier ou selon le cas) certifie par les présentes que depuis le 19 je fais et j'entends faire commerce comme ...., sous la raison sociale de ...., et qu'aucune autre personne n'est associée avec moi.

(signature)

De plus, les personnes mariées, même si elles ne vont se servir que de leur nom, doivent faire parvenir au protonotaire de la Cour supérieure une déclaration établissant leur statut matrimonial (date du mariage, contrat de mariage, nom et domicile du notaire, régime matrimonial, etc.).

Le mineur commerçant. La loi considère que "le mineur qui fait commerce est réputé majeur pour les faits relatifs à ce commerce" (art. 323 C.C.). De plus, nous avons déjà vu que le mineur commerçant n'est pas restituable pour cause de lésion contre les engagements qu'il a pris en raison de son commerce (art. 1005 C.C.).

DIFFÉRENTES FORMES D'ENTREPRISES

La société est une forme courante d'entreprise.

La société est un contrat par lequel deux ou plusieurs personnes conviennent de mettre quelque chose en commun dans le but de partager le bénéfice qui pourra en résulter.

La contribution de chaque associé ne doit pas prendre nécessairement la forme d'une somme d'argent. Un associé peut apporter la contribution de son crédit, de son habileté (son *know-how*) ou de son industrie.

En compensation de cette contribution, chaque associé est censé participer aux profits de la société. Cette participation entraîne avec elle l'obligation pour chaque associé de subir sa quote-part des pertes. Le Code civil prévoit que "toute convention par laquelle l'un des associés est exclu de la participation aux profits est nulle" (art. 1831). Quant à la convention qui exempte un associé de participer dans les pertes, elle est sans effet pour les tiers.
La loi définit les sociétés commerciales en ces termes : "Les sociétés commerciales sont celles qui sont contractées pour quelque trafic, fabrication ou autre affaire d'une nature commerciale, soit qu'elle soit générale, ou limitée à une branche ou aventure spéciale. Toute autre société est civile." (art. 1863 C.C.).

Les trois principales sortes de sociétés commerciales sont les sociétés en nom collectif, les sociétés en commandite et les corporations.

Les sociétés en nom collectif. Ce sont les sociétés qui sont formées sous un nom collectif ou raison sociale, consistant ordinairement dans le nom des associés ou de l'un ou de plusieurs d'entre eux.

Les associés sont conjointement et solidairement tenus des dettes de la société. C'est-à-dire que *chaque* associé est tenu de toutes les dettes de la société jusque sur ses biens personnels. Le créancier a le choix entre poursuivre tous les associés conjointement ou chaque associé séparément. C'est précisément le sens de l'expression "conjointement et solidairement responsables". Il s'agit là de l'obligation aux dettes. Toutefois, l'associé appelé à payer pourra réclamer leur quote-part à ses associés. Il s'agit cette fois de la contribution des associés aux dettes de la société.

L'administration de la société est généralement prévue dans le contrat de société. Cependant, à l'égard des tiers, chaque associé peut lier validement la société.

Les associés doivent, dans les quinze jours de la formation de la société, produire au bureau du protonotaire la déclaration précitée.

Les sociétés en commandite. Dans une société en commandite, moins fréquente dans l'usage, il y a deux espèces d'associés : les gérants et les commanditaires.

Les commanditaires. Il peut s'agir d'une ou de plusieurs personnes qui fournissent le capital de la société. En s'associant, elles ne s'engagent que jusqu'à concurrence du montant du capital fourni. En d'autres termes, le commanditaire n'est pas responsable des dettes au-delà de son apport.

On pourrait dire que le commanditaire est un simple bailleur de fonds. Il ne faut cependant pas le confondre avec un prêteur de fonds. S'il fournit des fonds, c'est à titre d'apport dans la société. *Le commanditaire est un associé, le prêteur est un créancier.* Les principales conséquences de cette distinction juridique sont les suivantes :

— le commanditaire a droit, comme tout associé, à une part dans les bénéfices, et ces bénéfices sont essentiellement variables. S'il n'y a pas de bénéfices, le commanditaire ne percevra aucun revenu. Un prêteur d'argent, au contraire, a droit à l'intérêt de la somme qu'il a prêtée, même dans le cas où l'emprunteur fait de mauvaises affaires, et cet intérêt reste invariable;

— le commanditaire, lors de la dissolution de la société, ne peut reprendre son apport que sur l'excédent de l'actif sur le passif; s'il n'y a pas d'excédent, il n'a plus aucun droit;

— en cas de faillite, de liquidation judiciaire ou de dissolution de la société, les créanciers sont désintéressés avant que le commanditaire ne puisse réclamer le remboursement de son apport;

— le commanditaire jouit d'un droit de contrôle sur les actes du gérant et il peut, comme tout associé, demander que lui soient communiqués les livres de la société.

Les gérants. Il peut s'agir d'une ou de plusieurs personnes. Les gérants sont des associés, au même titre que les commanditaires. Cependant, contrairement à ces derniers :

— les gérants sont responsables conjointement et solidairement de toutes les dettes de la société de la même manière que les associés dans une société en nom collectif;

— les gérants sont *seuls* autorisés à gérer les affaires de la société, à signer pour elle et à engager sa responsabilité.

Enregistrement de la société. Les associés en commandite sont tenus de signer conjointement, devant notaire, un certificat contenant les renseignements ci-dessous. Ce certificat est ensuite déposé et enregistré au bureau du protonotaire du district où se trouve le bureau principal de la société. C'est à compter de la date de cet enregistrement que la société prend naissance. Voici le modèle du certificat :

"Nous, soussignés, certifions par le présent, que nous sommes entrés en société sous le nom et raison (B.D. et Cie.) comme (épiciers et marchands à commission), laquelle société est formée de A.B. résidant habituellement à ...., et C.D. résidant habituellement à .... comme associés en nom collectif; et E.F., résidant habituellement à ...., et G.H., résidant habituellement à .... comme associés en commandite.

Le dit E.F. a apporté .... et le dit G.H. .... au fonds social de la société, laquelle société a commencé le .... jour de .... de l'an mille neuf cent ...., et finira le .... jour de .... de l'an mille neuf cent.................

Daté à .... ce .... jour de .... dans l'année mille neuf cent ....

(Signatures) A.B.
C.D.
E.F.
G.H.

Signé en ma présence.
L.M.,
notaire."

Les corporations. Les termes "société à responsabilité limitée", "corporation", "société par actions", "compagnie" sont synonymes et signifient que la responsabilité des associés (les actionnaires) est limitée au capital souscrit.

Compagnies publiques et compagnies privées. Les compagnies publiques sont celles qui peuvent offrir leurs actions ou leurs obligations au public et qui ne limitent ni le nombre des actionnaires ni les transferts d'actions. Leurs actions sont "cotées" à la bourse.

Les compagnies privées sont celles qui ne peuvent pas offrir leurs actions ou leurs obligations au public. Lors de leur formation, on inclut aux lettres patentes, au mémoire (mémorandum) de convention ou aux articles d'association une restriction du droit de transférer les actions; on souscrit à une clause qui limite le nombre des actionnaires à cinquante et on s'engage à observer un règlement qui interdit d'inviter le public à se porter acquéreur d'actions ou d'obligations de la compagnie.

Constitution des compagnies. Il y a deux moyens de s'incorporer (se constituer en compagnie) : le moyen législatif et le moyen administratif.

— *Le moyen législatif.* La compagnie est constituée en vertu d'une loi spéciale soit du parlement fédéral, soit du parlement provincial. Cette procédure s'applique aux compagnies d'assurance, aux banques, aux sociétés de prêt, aux sociétés de fiducie et de chemins de fer.

Les autres compagnies évitent cette procédure souvent onéreuse et recourent à la constitution par lettres patentes.

— *Le moyen administratif.* Tant au niveau fédéral qu'au niveau provincial, les compagnies sont constituées par lettres patentes émises par le gouvernement fédéral ou provincial en vertu d'une loi générale sur les compagnies.

Les formalités requises en vue de l'obtention de lettres patentes sont :

— Une demande d'incorporation. Les requérants doivent être âgés d'au moins vingt et un ans et légalement capables de contracter.

— Un mémorandum de convention. Les requérants, au nombre d'au moins trois, signent un document contractuel dans lequel ils conviennent entre eux d'acquérir, en leur qualité de requérants-administrateurs, des actions d'une compagnie qui sera constituée en corporation sous une certaine raison sociale avec un certain montant de capital.

Depuis la nouvelle loi canadienne intitulée Loi concernant les corporations commerciales canadiennes et sanctionnée le 24 mars 1975, il n'est plus nécessaire qu'il y ait *trois* requérants : un seul suffit. La loi reconnaît un fait qui existait déjà depuis longtemps : le *one-man company*.

Mais quelle différence y a-t-il entre une compagnie à charte fédérale et une compagnie à charte provinciale? Cette dernière ne pourra pas "opérer" ailleurs que dans la province. Ainsi, si elle veut établir une succursale dans une autre province il faudra qu'elle y obtienne un permis spécial d'opération de cette province.

En revanche, une compagnie à charte fédérale pourra "opérer" partout au Canada.

Chacun des signataires du mémorandum s'engage à acquérir le montant du capital-actions qui paraît en regard de sa signature, et devient actionnaire dès que la compagnie est constituée.

Dans une deuxième déclaration, celle que l'on exige de l'un des requérants, le déposant déclare :
— qu'il est l'un des requérants;
— qu'il agit en connaissance de cause et que les assertions figurant dans la demande sont vraies;
— que la raison sociale projetée ne soulève pas d'objections;
— que la constitution en corporation n'est préjudiciable à aucun intérêt public ni privé.

Les lettres patentes, émises par le ministère de la Consommation et des Corporations, au fédéral, et par le ministère des Consommateurs, Coopératives et Institutions financières, au provincial, créent pour ainsi dire la compagnie qui est censée exister à partir de la date des lettres patentes.

Les lettres patentes sont publiées dans la Gazette du Canada pour les compagnies fédérales, et dans la Gazette officielle du Québec pour les compagnies provinciales.

La compagnie est née. Elle peut commencer à exercer ses activités.

Nous pouvons résumer les avantages les plus évidents du recours à l'incorporation :
— limitation de la responsabilité des propriétaires au montant de leur apport;
— permanence de l'organisation;
— transfert aisé de la propriété (transfert d'actions);
— souplesse à l'égard du fisc et des droits successoraux;
— aisance dans la gestion de l'entreprise.

Les sociétés coopératives. Pour terminer ce chapitre, disons quelques mots sur les sociétés coopératives.

Douze personnes ou plus peuvent former une association coopérative pour des fins économiques, par autorisation du ministère des Consommateurs, Coopératives et Institutions financières, sur production d'une déclaration contenant les renseignements requis par la Loi régissant les associations coopératives (1964, ch. 292 — 1966-67, chap. 72).

Une association coopérative exerce les droits et pouvoirs d'une corporation au sens du Code civil et la responsabilité de ses membres est limitée au montant des parts sociales qu'ils ont souscrites.

Le mouvement coopératif Desjardins. Si nous excluons les coopératives agricoles, c'est le complexe des Caisses populaires Desjardins qui représente, au Québec, l'essor du mouvement coopératif.

La première Caisse populaire fut fondée à Lévis en 1900, par un groupe de citoyens dirigé par Alphonse Desjardins. Les classes laborieuses édifièrent les Caisses populaires sur la base coopérative, de façon que leurs propriétaires en soient à la fois les usagers, les bénéficiaires et les administrateurs.

Les Caisses populaires jouent aujourd'hui un double rôle social et économique. Dans le domaine économique, elles œuvrent avec succès dans l'assurance, le financement, la fiducie, etc. Mentionnons l'Assurance-vie Desjardins, La Sécurité, La Sauvegarde, La Société de Fiducie du Québec. C'est à l'Institut coopératif Desjardins que les gérants et les cadres acquièrent une formation coopérative complète.

ACTIONS, OBLIGATIONS ET BOURSE

LES ACTIONS

On distingue deux sortes d'actions : les actions privilégiées et les actions ordinaires.

Les actions privilégiées ne donnent pas, en principe, droit de vote, sauf parfois lors de la réalisation de certaines conditions. Elles jouissent d'une priorité quant au dividende et à l'actif. La charte de la compagnie peut disposer qu'en cas de dissolution de l'entreprise, ces actions aient la priorité quant au partage de l'avoir. Leur rémunération est souvent fixe et, par conséquent, leur participation aux bénéfices limitée.

Les privilèges et restrictions sont articulés dans le certificat d'action. Dans le cas des actions ordinaires, le dividende varie suivant le résultat de l'exercice financier de la compagnie. En cas de pertes, l'actionnaire ne reçoit aucun dividende. Ces actions comportent le droit de vote aux assemblées des actionnaires. En conséquence, ce sont elles qui permettront à un nombre d'actionnaires d'exercer le contrôle de la compagnie.

Le droit d'une compagnie d'émettre des actions est plafonné par le montant du capital-actions prévu dans sa charte. Ainsi, une compagnie dont la charte stipule un capital-actions de $50 000 ne pourra pas émettre des actions pour une valeur nominale dépassant ce montant. C'est le *capital-actions autorisé.*

La compagnie peut ne pas requérir des personnes désireuses d'acquérir ses actions le versement intégral de la valeur de l'action. Dans ce cas, le montant versé par ces personnes constitue le capital-actions versé. Plus tard, quand le montant intégral de l'action aura été versé, on parlera d'actions libérées. Quant au capital-action émis, il s'agit là du capital représenté par les actions émises et en circulation.

Les actions de la compagnie sont des biens mobiliers. Elles sont, par conséquent, transférables. Ce transfert se fait de la manière et dans les conditions et restrictions prescrites par la charte de la compagnie ou ses règlements et les lois y relatives, notamment la Loi des valeurs mobilières (S.R. 1964, chap. 274).

Notons que chaque actionnaire a le droit de se faire remettre, sans frais, un certificat indiquant le nombre d'actions qu'il possède ainsi que le montant payé sur ces actions.

Les actionnaires sont les propriétaires de la compagnie. Ils laissent la gestion de l'entreprise à un conseil d'administration qu'ils nomment chaque année au cours de l'assemblée générale des actionnaires. Les actionnaires (ordinaires) ont toujours le droit de vote à l'assemblée générale. Ce droit est généralement fixé à une voix par action. C'est pourquoi on dit couramment que la ou les personnes qui détiennent 51 o/o des actions d'une compagnie l'ont sous leur contrôle.

En effet, c'est à l'assemblée générale des actionnaires que le conseil d'administration soumet un rapport sur l'exercice financier qui vient de se terminer. Ce rapport doit être approuvé par les actionnaires à la majorité simple (51 o/o ou plus). L'assemblée décide alors si elle conserve le même conseil d'administration (en le réélisant) ou si elle accepte d'autres candidatures pour en élire un nouveau.

LES OBLIGATIONS

Il se peut qu'en cours d'exercice, une compagnie ait besoin de faire un emprunt substantiel. Elle peut recourir à l'émission d'obligations. Nous ne parlerons pas ici des obligations gouvernementales, représentant des emprunts du gouvernement, des municipalités, des commissions scolaires, etc. Nous ne traiterons que des obligations commerciales.

À son émission, l'obligation stipule :
— le montant de l'émission;
— l'année de l'émission;
— l'année du remboursement;
— le taux annuel d'intérêt.

Le propriétaire de l'obligation, contrairement à l'actionnaire, n'est pas un associé mais un prêteur. Conséquemment, il ne court pas les risques que court un actionnaire. Quel que soit le résultat d'un exercice financier, il a droit à l'intérêt prévu et, à l'échéance, au remboursement. C'est un créancier.

Tout comme l'action, cependant, l'obligation est transférable et sa valeur peut fluctuer selon les caprices du marché des obligations. L'épargnant qui recherche la sécurité a tendance à investir sur le marché des obligations plutôt que sur le marché des actions.

LA BOURSE

La place publique sur laquelle s'effectuent les opérations relatives au transfert des actions et des obligations s'appelle la bourse. Toutes les grandes villes du monde ont leur bourse. La plus importante est celle de New York. La bourse de Montréal est née en 1832 à l'occasion de la mise en vente des actions du chemin de fer Champlain et Saint-Laurent. Aujourd'hui, grâce à son équipement électronique, elle peut à juste titre être considérée comme "la bourse la plus moderne du monde".

Toutes les actions offertes au public ne sont pas nécessairement admises à la cote. Les actions admises à la cote sont celles qui peuvent faire l'objet de transactions sur le parquet de la bourse. L'admission des actions à la cote fait l'objet d'une réglementation sévère.

En effet, la compagnie qui désire inscrire ses titres (actions ou obligations) à la cote doit se soumettre aux formalités suivantes :
— accompagner la demande d'admission des titres d'une déclaration attestant de sa constitution juridique, de la nature de ses activités, de son historique, de ses biens immobiliers, de la répartition de ses titres, etc.;
— soumettre un relevé de ses revenus des cinq années précé-

dentes, de même qu'un bilan et un compte de profits et pertes pour la même période;
— s'engager à publier une fois l'an un bilan et un compte des profits et pertes au moins dix jours avant l'assemblée générale de ses actionnaires;
— aviser promptement ses actionnaires et la bourse de tout dividende déclaré et de toute augmentation de capital.

Les avantages de l'admission à la cote sont nombreux. Elle assure aux compagnies la négociabilité immédiate de leurs actions. De plus, par la publication quotidienne des cours, elle leur vaut une publicité considérable. De son côté, le public est assuré qu'une action cotée en bourse est sérieuse. Il peut investir rapidement et demeurer constamment au courant de la valeur de ses titres sur le marché.

Cependant, le public n'est pas admis à transiger sur le parquet de la bourse. Il ne peut le faire que par le truchement d'un courtier ou agent de change.

Ainsi, si je désire acheter des actions d'une compagnie cotée à la bourse de Montréal, il faut que je m'adresse à un courtier membre de la bourse et que je lui donne l'ordre d'acheter les actions que je désire acquérir.

LES EFFETS DE COMMERCE

Le commerce occupe dans le monde économique d'aujourd'hui une place de choix. Les transactions commerciales se règlent par l'entremise des instruments de commerce : les titres ou effets de commerce.

Les principaux effets de commerce sont : la lettre de change, le chèque, le billet à ordre et le billet du consommateur.

LA LETTRE DE CHANGE

Elle est régie, comme les autres effets d'ailleurs, par la Loi des lettres de change, qui est une loi fédérale.

La lettre de change est un ordre, donné par écrit, adressé par une personne (le tireur) à une autre (le tiré), de payer à une tierce personne désignée ou à son ordre, ou au porteur de la lettre, une somme d'argent déterminée sur demande ou à une date fixée.

Essayons de disséquer cette définition.

Ordre. L'ordre donné par le tireur ou souscripteur doit être *pur et simple*, c'est-à-dire *sans conditions.* Si je donne à Jacques l'ordre de payer une certaine somme à Pierre si les Expos remportent le championnat, le titre ne sera pas une lettre de change. La réalisation de l'éventualité ne remédie pas au vice et l'effet, malgré la réalisation de l'éventualité, ne sera pas une lettre de change.

Donné par écrit. L'ordre doit être donné par écrit et signé par la personne qui le donne. Lorsqu'il s'agit d'une corporation, il suffit que la lettre soit dûment revêtue du sceau de la corporation ou d'une signature autorisée.

Le tireur est la personne qui souscrit la lettre. Le tireur est normalement le créancier du tiré.

Le tiré est la personne sur laquelle la traite est tirée et qui devra, à l'échéance prévue, payer la somme mentionnée.

Le bénéficiaire. La lettre de change peut être faite payable à une personne désignée ou à l'ordre d'une personne désignée, ou encore au porteur.

La traite est payable au porteur dans trois cas :
— lorsque l'ordre est donné au tiré de payer au porteur;
— lorsque le dernier endossement est en blanc (v. endossement, plus bas);
— lorsque le bénéficiaire est une personne fictive ou qui n'existe pas.

La traite est payable à l'ordre dans deux cas :
— lorsqu'elle stipule que le paiement sera fait par le tireur à l'ordre du bénéficiaire. Exemple : payez à l'ordre de Bernard et Bernard Ltée; ou encore payez à Bernard Ltée ou à son ordre;
— lorsqu'elle est payable à une personne désignée mais ne contient rien qui interdise la cession de la traite.

La désignation du bénéficiaire peut se faire par la stipulation de son nom ou de sa fonction précise. Ainsi le bénéficiaire peut être Roland Gingras ou encore "le trésorier de l'Université de Montréal".

Le montant. L'objet de la lettre de change doit être le paiement d'une somme d'argent précise. Le montant est couramment écrit en lettres et en chiffres. Ce n'est là qu'une mesure de précaution. Cependant, s'il y a une différence entre les deux, la somme à payer sera celle qui est écrite en lettres.

La date. La mention de la date à laquelle la lettre est tirée n'est pas requise par la loi, non plus que le lieu où la lettre est faite.

Lorsque la lettre est datée et à moins de preuve contraire, cette date est considérée comme vraie. La bonne foi est toujours présumée, sauf preuve du contraire. Ce principe s'applique à tous les effets de commerce.

L'échéance. C'est la date à laquelle le tiré devra s'exécuter, c'est-à-dire payer. La lettre peut être payable a) à vue ou sur demande, b) à une époque future déterminée, c) à une époque future susceptible d'être déterminée.

— *Sur demande.* Lorsqu'une lettre est payable sur demande (ou à vue) le tiré doit s'exécuter dès que la lettre lui est présentée pour paiement et sans aucun délai. Elle est payable sur demande dans les trois cas suivants :

- si elle stipule qu'elle est payable sur demande;
- si elle n'indique aucune date de paiement ;
- si elle est acceptée ou endossée après l'échéance, elle devient payable sur demande à l'égard de l'accepteur ou de l'endosseur.

— *À une date fixe.* On peut l'exprimer de deux manières :

- au 30 septembre 197... ;
- à 90 jours de cette date, payez à...

— *À une date susceptible d'être déterminée.* Il s'agit ici d'une date future qui sera déterminée par la réalisation d'un événement spécifié. La réalisation de l'événement est certaine, mais l'époque de cette réalisation est incertaine.

- Exemple : À 30 jours de l'ouverture de la chasse...

L'acceptation d'une lettre de change est la signification, écrite sur la lettre de change et signée par le tiré, de son assentiment à l'ordre du tireur de payer au bénéficiaire de la lettre. En d'autres termes, pour accepter, le tiré doit écrire sur la traite qu'il accepte et signer cette acceptation. Sa seule signature sur la traite équivaut à l'acceptation.

Jacques me doit $500 et, à mon tour, je dois $500 à Robert. Je peux souscrire une traite dans laquelle je donne à Jacques l'ordre de payer $500 à Robert. Ainsi, je suis le tireur, Jacques est le tiré et Robert le bénéficiaire. Je remets la traite à Robert. Ce dernier n'a aucune preuve que Jacques me doit cet argent. De plus, il n'est pas assuré que Jacques le paiera à l'échéance. Robert ne veut pas attendre jusqu'à l'échéance sans avoir la certitude que Jacques *accepte* de le payer.

Cependant, l'acceptation par le tiré n'est pas indispensable pour le lier. Elle n'est nécessaire que dans les cas suivants :

Exemple d'une lettre de change acceptée :

Québec, le 2 mars 1977	Echéance: le 13 janvier 1978
A M. Edouard Hugo 7210, rue Baudrière Montréal	$315.50

Au 13 janvier 1978, payez à l'ordre de M. Charles Gagnon la somme de trois cent quinze dollars et 50 cents.

	(signé)
Accepté le 7 mars 1977 (Signé: Edouard Hugo)	Philippe Armand 10500 Bd. Rosemont Québec

— lorsque la lettre de change est payable à vue ou à un délai de vue, sa présentation à l'acceptation est nécessaire pour en fixer l'échéance;
— quand elle stipule expressément qu'elle doit être présentée à l'acceptation;
— quand elle est tirée payable ailleurs qu'à la résidence ou au domicile d'affaires du tiré.

Le tiré doit accepter la lettre de change le jour même où elle lui est présentée ou en tout temps dans les deux jours qui suivent la présentation. Passé ce délai, la lettre est réputée avoir subi un "refus d'acceptation".

La lettre de change ne prend effet qu'à partir de sa livraison. Lorsqu'une traite n'est plus entre les mains du tireur, de l'accepteur ou de l'endosseur après leurs signatures, la délivrance est présumée valable jusqu'à preuve du contraire.

Toutes les parties à une lettre de change doivent avoir la capacité légale de contracter.

Comme tout acte juridique, la traite doit avoir une cause ou une considération. Est donc nulle une traite qui a pour cause une dette de jeu. Cette nullité ne jouera pas toutefois à l'égard des parties qui ignoraient cette cause.

Un individu signe un billet à demande de $2 000 portant la date du 3 octobre 1960 et un chèque de $300 daté du 10 juillet 1963. Ces deux effets sont émis en faveur d'une Dame Françoise. Cette dernière décède avant d'avoir rien encaissé. Son héritière testamentaire, Dame Amélie, réclame la somme de $2 300 au tireur; ce dernier refuse et l'affaire est portée devant les tribunaux.

En défense, le tireur allègue qu'il s'agit d'une donation faite à une concubine et que, par conséquent, le billet n'a pas de considération ou a une considération illégale, selon les termes de l'article 768 du Code civil (nous avons vu que la loi interdit les donations entre concubins sauf pour les aliments).

Le tribunal n'a pas été convaincu qu'il s'agissait d'une donation entre vifs. Quant au concubinage, la Cour s'est montrée sceptique en affirmant que, dans l'optique de l'article 768 C.C., même si l'individu obtenait certaines faveurs passagères de Dame Françoise durant les séjours qu'il faisait à Sainte-Anne-de-la-Pérade, on ne peut pas en conclure qu'il a vécu en concubinage avec elle.

Le tireur a donc été condamné à payer la somme de $2 300 avec intérêts (1971 C.A. 725. Cf. aussi 1975 C.A. 501).

Le détenteur régulier d'une lettre de change est la personne qui, détenant la lettre, a le droit d'en réclamer le paiement.

Pour être détenteur régulier il faut remplir les conditions suivantes :
— être devenu possesseur de la lettre de change avant qu'elle fût en souffrance. Une traite est réputée en souffrance quand elle a subi, à son échéance, un refus de paiement de la part du tiré;
— ignorer les refus antérieurs d'acceptation ou de paiement;
— avoir pris la lettre de change de bonne foi, c'est-à-dire sans fraude ou violence. Le voleur d'une lettre de change n'en sera jamais le détenteur régulier;
— être créancier de la contre-valeur de la lettre.

La négociation et l'endossement. Il est de l'essence des effets de commerce d'être transférables. Le transfert de la propriété de la lettre de change se fait par voie d'endossement.

L'endossement est réalisé par l'apposition au verso de la lettre de change de la mention "Veuillez payer à (ou à l'ordre de) Monsieur. . .", suivie de la signature de l'endosseur. L'endossement peut aussi consister dans la seule signature de l'endosseur. C'est alors un endossement "en blanc".

L'endossement a un effet translatif de la propriété de la lettre de change. Cependant, l'endossement ne suffit pas : il faut délivrer la lettre à la personne qui bénéficie de l'endossement. Une lettre payable au porteur se négocie par la seule délivrance puisqu'il n'est pas besoin de l'endosser.

Il n'y a pas de limite au nombre d'endossements possibles. Le bénéficiaire du dernier endossement ne peut pas endosser la lettre si l'endossement est restrictif. Si je dis : "Endossé en faveur de Paul seulement", Paul ne pourra plus endosser la lettre. Il devra attendre l'échéance et se faire payer par le tiré.

La présentation pour paiement. Édouard Hugo ignore qui est le détenteur régulier de la lettre qu'il a acceptée le 7 mars 1977 payable le 13 janvier 1978. À cette dernière date il est disposé à payer la somme de $315.50 au détenteur qui lui présentera la lettre à l'encaissement. Une dizaine d'endossements se sont succédé sur la lettre et c'est au dernier bénéficiaire de présenter la lettre à Hugo.

Le détenteur de la lettre court un grave danger s'il ne présente pas la lettre à l'encaissement car il libérerait le tireur de la lettre et tous les endosseurs. Il n'aurait donc de recours que contre le tiré.

Pour le détenteur d'une lettre de change, présenter cette lettre pour paiement (on dit encore, à l'encaissement), c'est l'exhiber à la personne à qui il demande paiement. La présentation pour paiement est soumise à des exigences de délai et de lieu.

La lettre de change doit être présentée à l'encaissement :
— le jour de son échéance, si elle n'est pas payable sur demande;
— si elle est payable sur demande, dans un délai raisonnable à partir de son émission (pour lier le tireur) et de son endossement (pour lier l'endosseur).

La lettre de change est présentée au lieu voulu :
— si elle est présentée au lieu de présentation à l'encaissement désigné dans la lettre;
— si, le lieu n'étant pas désigné, elle est présentée à l'adresse du tiré mentionnée dans la lettre;

— si, aucun lieu n'étant désigné, elle est présentée au siège des affaires du tiré ou à sa résidence ordinaire;
— si, aucun lieu n'étant désigné, elle est présentée au tireur où qu'il se trouve;
— si, le lieu du paiement étant désigné comme étant une ville, une cité ou un village, la lettre est présentée au principal bureau de poste de la ville, cité ou village.

Notons que si l'usage ou la convention le permet, la présentation à l'encaissement peut se faire par la voie du courrier.

Le détenteur et les endosseurs sont dispensés de présenter la lettre à l'encaissement, sans pour autant perdre leurs droits sur elle, dans les cas suivants :
— si, malgré une diligence raisonnable, la présentation ne peut s'effectuer; par exemple, dans l'impossibilité de savoir où se trouve le tiré;
— si le tiré est une personne fictive;
— si le détenteur est le tireur et qu'il n'a pas de raison de croire que la lettre sera payée à sa présentation;
— si la lettre a été tirée par complaisance pour un endosseur, ce dernier ne pouvant présumer raisonnablement que la lettre lui serait payée s'il la présentait;
— s'il y a renonciation à la présentation, expresse ou tacite.

Cependant, le seul fait que le détenteur a lieu de croire que la lettre, à sa présentation, subira un refus de paiement ne le dispense pas de la nécessité de la présenter.

Une lettre de change est censée avoir subi un refus de paiement dans les deux cas suivants :
— quand elle a été dûment présentée à l'encaissement et que celui-ci a été refusé ou n'a pu être obtenu;
— quand la présentation n'est pas obligatoire et que la lettre est en souffrance et impayée.

Dans les cas de refus de paiement, le détenteur a une action contre :
— le tireur;
— l'accepteur;
— les endosseurs.

Le détenteur doit alors donner avis du refus au tireur et aux endosseurs. Il n'est pas nécessaire de donner avis du refus à l'accepteur, puisque c'est lui qui refuse de payer!

Lorsque la lettre n'est pas payée sur demande, un délai de grâce de trois jours est ajouté à la date de paiement. La lettre est alors payable le troisième jour de grâce. Mais, si le dernier jour de grâce est un jour férié ou non juridique dans la province où la lettre est payable, le jour suivant qui n'est ni jour férié ni jour non juridique dans cette province est le dernier jour de grâce.

Les obligations des parties

Obligations de l'accepteur. En acceptant la lettre de change, l'accepteur s'engage à payer suivant la teneur de son acceptation.

Obligations du tireur. En tirant la lettre de change, le tireur promet que, sur présentation régulière, elle sera acceptée et payée. Il s'engage, en cas de refus de paiement par le tiré, à indemniser le détenteur régulier de la lettre ou tout endosseur qui aura été forcé de l'acquitter.

Obligations de l'endosseur. En endossant la lettre de change, l'endosseur promet que, sur présentation régulière, elle sera acceptée et payée et s'engage, en cas de refus de paiement, à indemniser le détenteur ou endosseur postérieur qui aurait été forcé de l'acquitter.

LE CHÈQUE

La loi définit le chèque en ces termes : "Un chèque est une lettre de change tirée sur une banque et payable sur demande" (art. 165 L.C.).

Tout ce qui a été dit, dans la section précédente, concernant la lettre de change payable sur demande s'applique donc au chèque.

La différence fondamentale entre la lettre de change et le chèque réside dans le fait que dans le cas du chèque le tiré est toujours une banque. Une autre différence à signaler : le chèque est plus populaire. Toutes nos transactions financières se font aujourd'hui par chèque. Nous payons le loyer, l'essence pour notre automobile, les factures du téléphone, de l'électricité, du gaz, nos taxes municipales, provinciales et fédérales, etc., par chèque.

Définissons maintenant le chèque : c'est un ordre écrit donné par le client (le tireur) à sa banque (le tiré) de payer à un tiers (le bénéficiaire) une somme d'argent.

La banque retire un profit de l'émission des chèques par ses clients sous forme de frais de service imposés pour chacun des chèques tirés.

Afin de s'assurer que le chèque est bon, c'est-à-dire que le tireur a assez de fonds à la banque pour le couvrir, le bénéficiaire peut demander que le chèque soit accepté par la banque. On dira alors que le chèque est "certifié" ou "visé". La banque, au moment de l'acceptation du chèque par elle, bloque dans le compte du client le montant correspondant à celui du chèque, de sorte qu'au moment de sa présentation au paiement elle puisse honorer son acceptation.

Si par exemple je tire un chèque à l'ordre d'un ministère du gouvernement et que ce dernier n'accepte que des chèques visés, je me présenterai à ma banque avec le chèque et je lui demanderai de le certifier. La banque débitera mon compte du montant du chèque et inscrira sur le chèque la mention "chèque visé". J'expédierai alors ce chèque à l'administration.

Le devoir et le pouvoir d'une banque de payer un chèque tiré sur elle par son client prennent fin :
— par contrordre de paiement donné par le client. La banque exige normalement de connaître le motif du contrordre (marchandise non reçue, contrat résilié, etc.);
— par notification du décès du client;
— par insuffisance de fonds.

LE BILLET À ORDRE

C'est une promesse écrite faite par le souscripteur de payer une somme d'argent déterminée, à une personne désignée ou à son ordre, ou au porteur, sur demande ou dans un délai déterminé ou susceptible de l'être.

Contrairement à la lettre de change et au chèque, le billet à ordre, ou billet tout court, ne comporte que deux parties : le débiteur qui souscrit le billet (le souscripteur) et son créancier (le bénéficiaire).

Paul achète une machine à laver aux Magasins Richard. Ces derniers lui font signer un billet pour la somme de $500, prix de la machine, majoré des intérêts et frais d'administration. Voici comment se présenterait le billet :

Échéance : le 15 décembre 1977
Montant : $500

Je m'engage à payer à l'ordre des Magasins Richard, le 15 décembre 1977, la somme de cinq cents dollars, valeur reçue.

Montréal, le 24 janvier 1977
Signé : Paul

Tout comme la lettre de change et le chèque, le billet peut être endossé et, par conséquent, négocié. Il va sans dire que les Magasins Richard, bénéficiaires du billet, n'attendront pas le 15 décembre 1977 mais s'empresseront de négocier le billet.

Les autres dispositions concernant la lettre de change s'appliquent également au billet à ordre.

Une compagnie découvre que l'employé responsable de la paie a préparé des chèques à l'ordre de certaines personnes qui ne sont plus à l'emploi de la compagnie.

La compagnie avise tout de suite la banque par écrit en lui demandant d'arrêter le paiement de ces chèques. Malgré cet avis, la banque paie les chèques sur lesquels figurent des faux endossements. La compagnie poursuit la banque et lui réclame les sommes payées.

La banque prétend que lorsqu'une personne désignée comme bénéficiaire sur un chèque n'a pas le droit de l'endosser (les bénéficiaires n'avaient pas droit à cet argent), elle doit être considérée comme une personne fictive.

Le tribunal n'est pas de cet avis puisque les chèques étaient faits à l'ordre de personnes déterminées et identifiables et la banque devait s'assurer que les personnes auxquelles elle payait étaient les personnes nommées. Or, la banque a payé sur de faux endossements et l'article 49 de la Loi des lettres de change s'applique : la banque doit rembourser la compagnie qui l'avait notifiée par écrit tel qu'exigé par cet article de la loi (1974 C.A. 213).

* * *

Le souscripteur d'un billet énonce dans ce billet les détails de la transaction soit la réception de débentures d'un montant total de $5 000, qu'il s'engage à payer au bénéficiaire sur demande. Le billet est daté du 15 novembre 1960. Sommé de payer, en 1969, le souscripteur refuse en alléguant l'article 2260 C.C. qui dit que les effets de commerce se prescrivent par cinq ans. C'est-à-dire que le bénéficiaire qui n'exige pas le paiement dans les cinq ans qui suivent l'échéance perd tous ses droits.

Une action est intentée au souscripteur le 30 juillet 1970. La Cour supérieure condamne le souscripteur à payer. Il décide alors d'aller en appel et il gagne ! Voici le raisonnement de la Cour d'appel :

Tout le litige porte sur la nature de l'effet de commerce. Ou bien il est un billet au sens de la Loi sur les lettres de change (art. 176 L. C.) et alors la dette serait prescrite, ou bien il n'est qu'une reconnaissance de dette (prescription de 30 ans) comme l'a décidé le premier juge et son jugement serait fondé.

Si, d'une part, il n'est pas nécessaire que le billet mentionne la considération (art. 27 L.C.), le fait, d'autre part, d'énoncer la tran-

saction qui lui a donné lieu n'empêche pas, en soi, l'écrit d'être un billet (art. 17 (3)b)). La promesse de payer n'est pas dans notre cas conditionnelle ou incertaine.

Le juge Gagnon, de la Cour d'appel, poursuit :
"À mon avis, l'écrit sous étude ne présente aucune difficulté sous cet aspect. Que l'appelant ait reçu $5 000 sous forme de débentures plutôt qu'en argent, ne fait aucune différence. . . L'effet constate un prêt, qui à défaut de preuve contraire doit être tenu pour avoir été consenti simultanément à la signature de l'écrit et si l'écrit est un billet, il constitue avec le prêt un seul contrat, un acte de commerce auquel s'applique la prescription de cinq ans."

La Cour d'appel casse ainsi le jugement de la Cour supérieure et libère le souscripteur de sa dette qui s'est prescrite le 15 novembre 1965 (1973 C.A. 16).

LETTRES ET BILLETS DU CONSOMMATEUR

La Loi sur les lettres de change (S.R. c. 16, art. 1) a été modifiée par la loi 18-19 Elisabeth II, c. 48, sanctionnée le 26 juin 1970 et entrée en vigueur le 1er novembre 1970.

Cet amendement a créé au Canada un nouvel effet de commerce appelé le billet du consommateur.

Jean-Paul reçoit le représentant d'une grande maison de distribution qui lui propose une encyclopédie de vingt volumes à raison d'un volume par mois pour un prix total de deux cents dollars. Jean-Paul, intéressé, signe au représentant une série de vingt billets mensuels d'un montant de dix dollars chacun.

Le représentant cède les billets à une maison de financement. Jean-Paul reçoit une lettre de la société de "finance" lui souhaitant la bienvenue dans les rangs de sa clientèle. Jean-Paul n'y prête aucune attention : payer l'éditeur ou payer la "finance" lui est tout à fait égal.

Jusqu'ici pas de difficultés. Mais voilà que dès le quatrième mois Jean-Paul ne reçoit plus rien. Après maintes plaintes auprès du représentant de la maison de distribution, Jean-Paul décide de ne pas honorer les billets qu'il a signés. La société de finance menace de saisir ses biens et soutient qu'elle a acheté ces billets de la maison de distribution et qu'elle en est maintenant le détenteur régulier. En d'autres termes, la relation débiteur-créancier n'existe plus qu'entre Jean-Paul et la maison de finance. Le débiteur n'a pas le choix : il doit payer! — quitte par ailleurs à engager des poursuites contre la maison de distribution.

La nouvelle loi se propose de protéger le consommateur en interdisant aux vendeurs l'usage déloyal des billets à ordre.
Si les banques ou les sociétés de financement qui acquéraient des billets à ordre donnés aux vendeurs par des consommateurs pouvaient, jusqu'au 31 octobre 1970, en exiger le paiement même si l'accord entre l'acheteur et le vendeur n'avait pas été respecté, aujourd'hui, le consommateur poursuivi par une tierce personne pour non-paiement peut, en vertu de la loi de 1970, faire valoir pour sa défense le fait que les conditions de l'entente initiale n'ont pas été respectées.

Cette protection n'est accordée au consommateur qu'à certaines conditions que nous résumons :

— le billet doit porter la mention "achat de consommation";
— le billet doit être relatif à une vente à terme ou à tempérament;
— la vente doit porter sur un bien meuble;
— les parties doivent être, d'une part, un particulier (l'acheteur) et,d'autre part,une personne s'occupant de la vente ou de la fourniture des marchandises ou des services faisant l'objet de la vente.

Dans sa forme extérieure, le billet du consommateur peut être soit une lettre de change, soit un chèque, soit un billet à ordre. Si c'est un chèque, il doit être postdaté de 30 jours au plus (art. 189 L.C.).

Afin de garantir l'efficacité de cette loi, le législateur a prévu des sanctions sévères allant, dans certains cas, jusqu'à une amende de cinq mille dollars (art. 192 L.C.).

Cette loi n'est qu'un exemple du souci du législateur, tant au fédéral qu'au provincial (voir la Loi pour la protection du consommateur), de protéger de plus en plus le consommateur.

Chapitre 11

Le droit du travail

Nous n'avons malheureusement pas, au Québec, un code complet de législation ouvrière. Même si le Code civil traite du "louage des services" il n'en demeure pas moins que la complexité des relations du travail qui va s'intensifiant nécessite une certaine mise à jour. D'ailleurs, le ministère du Travail a publié un *Recueil des lois du travail* groupant presque la totalité des lois industrielles, initiative tout à l'honneur du ministère.

SOURCES LÉGISLATIVES

Le contrat de travail n'est pas spécifiquement réglementé par le Code civil qui lui consacre en tout cinq articles. Il faudra chercher ailleurs, dans une infinité de législations éparses, tant fédérales que provinciales, la réglementation complète de tout ce qui se rattache au contrat de travail.

Voici quelques applications au "louage du service personnel" : le Code du travail, la Loi des accidents du travail, le Code canadien du travail (ouvrage de juridiction fédérale touchant aux postes, transport, banques, compagnies d'aviation, etc.), la Loi de l'inspection des échafaudages, la Loi des mines, la Loi du salaire minimum, etc. La législation ouvrière est complétée par une série de règlements et d'ordonnances.

Le Code du travail. Le Code provincial du travail est en voie d'élaboration. Seul le premier titre du Code a été promulgué (S.R.Q. 1964, chapitre 141). Ce titre, "Des relations du travail", entré en vigueur le 1er septembre 1964, a connu plusieurs amendements successifs depuis sa promulgation.

Le Code traite des associations de salariés (syndicats, unions, etc.), des conventions collectives, du règlement des différends, des grèves et lock-out et du Tribunal du travail.

La Loi des accidents du travail. La Loi des accidents du travail (S.R.Q. 1964, chapitre 159) a pour but de protéger l'ouvrier accidenté au travail en lui garantissant l'assistance médicale et la compensation (partielle) de la perte de gain résultant d'un accident arrivé par le fait et à l'occasion du travail.

L'exécution de la loi est confiée à la Commission des accidents du travail qui, seule, peut décider s'il s'agit ou non d'un accident du travail, et paie au travailleur l'indemnité prévue par la loi d'après la gravité de l'accident. Les indemnités payées par la Commission proviennent uniquement des contributions des employeurs. Le travailleur n'a aucune contribution à fournir.

La loi pourvoit, en outre, à ce que la Commission prenne des mesures et encoure les dépenses nécessaires à la réhabilitation des ouvriers blessés. À cet effet, deux centres de réhabilitation, l'un à Québec et l'autre à Montréal, permettent le rétablissement d'un grand nombre d'ouvriers atteints d'incapacités permanentes dans des emplois appropriés à leur condition physique.

La Loi des mines. Sanctionnée le 8 avril 1965, la Loi des mines se soucie de la protection de la santé et de la vie des ouvriers travaillant dans les mines.

L'âge et le sexe du travailleur sont pris en considération. Ainsi, la loi interdit que soit employée dans une mine toute personne âgée de moins de seize ans. Quant au sexe, la loi prévoit qu'aucune femme ou fille ne doit travailler sous terre, sauf comme ingénieur ou géologue.

La Loi du salaire minimum. La Loi du salaire minimum (S.R.Q. 1964, chapitre 144) a pour but d'établir un salaire minimum pour les travailleurs du Québec.

La loi s'applique à tous les salariés dont le travail se fait dans la province, à l'exception des suivants :
— les salariés travaillant à des exploitations agricoles;
— les domestiques de maison;
— les salariés régis par un décret de convention collective.

L'exécution de la loi est confiée à la Commission du salaire minimum dont les cinq membres sont nommés par le lieutenant-gouverneur en conseil. La Commission est chargée d'émettre des ordonnances, des règlements et des décrets en vertu de la loi. C'est par ordonnance que la Commission détermine le taux du salaire minimum payable aux différentes catégories de travailleurs ainsi que les termes de paiement du salaire (au mois, à la semaine, à l'heure), la durée du travail, les conditions de l'apprentissage, etc.

La Loi des décrets de convention collective. L'article 1 d (S.R.Q. 1964, chapitre 143) définit la convention collective en ces termes : "une entente relative aux conditions de travail et conclue entre *des personnes agissant pour une ou plusieurs associations de salariés* *et un ou plusieurs employeurs ou personnes agissant pour une ou plusieurs associations d'employeurs".*

L'article 3 de cette loi prévoit que toute partie à une convention collective peut demander au lieutenant-gouverneur en conseil l'adoption d'un décret visant à étendre cette convention à tous les employeurs et salariés du métier, de l'industrie ou du commerce concernés dans toute la province ou dans un territoire déterminé.

Le Conseil exécutif du Québec se rend à cette requête s'il juge que les dispositions de la convention collective ont une signification et une importance prépondérantes.

Les comités paritaires. Les parties à une convention collective rendue obligatoire doivent constituer un comité paritaire chargé de surveiller et d'assurer l'observance du décret. Il est appelé paritaire parce qu'il est constitué d'un nombre égal de représentants d'employeurs et d'employés.

Le comité élabore ses propres règlements (formation, nombre des membres et conditions d'admission, administration des fonds, siège social, etc.) qu'il transmet au ministre du Travail pour approbation par le lieutenant-gouverneur en conseil. Avis de cette approbation est donné dans la Gazette officielle du Québec. À partir de cette publication, le comité constitue une corporation et a les pouvoirs, droits et privilèges généraux d'une corporation civile ordinaire.

Le comité doit transmettre au ministre du Travail un rapport trimestriel certifié de toutes sommes perçues et de leur emploi et un rapport annuel de toutes ses activités.

Il doit entendre et considérer toute plainte d'un employeur ou d'un salarié relative à l'application du décret et consignée par écrit.

En outre, le comité peut, par règlement, rendre obligatoire un certificat de qualification pour tout salarié assujetti au décret. Dans ce cas, il doit, également par règlement, créer un bureau d'examinateurs chargé de déterminer la qualification des salariés et d'émettre les certificats de qualification. Aucun employeur ne pourra utiliser les services d'un salarié visé par le règlement sans ledit certificat.

La Loi des syndicats professionnels. Nous connaissons plus ou moins le rôle que jouent les syndicats professionnels dans la vie économique d'un pays. Il serait trop long, voire déplacé ici, de faire l'historique du syndicalisme. Contentons-nous d'étudier la législation provinciale qui le réglemente.

L'article premier de la Loi des syndicats professionnels (S.R.Q. 1964, chapitre 146) commence en ces termes : "Quinze personnes ou plus, *citoyens canadiens*, exerçant la même profession, le même emploi, des métiers similaires, se livrant à des travaux connexes concourant à l'établissement de produits déterminés, peuvent faire et signer une déclaration constatant leur intention de se constituer en association ou syndicat professionnel."

Les syndicats professionnels ont exclusivement pour objet l'étude, la défense et le développement des intérêts économiques, sociaux et moraux de leurs membres.

Le syndicat est dirigé par un conseil d'administration formé d'au moins trois et d'au plus vingt-cinq directeurs ou administrateurs. Seuls les citoyens canadiens peuvent être membres du conseil d'administration du syndicat ou faire partie de son personnel (art. 8 de la loi).

Aucun salarié n'est obligé de faire partie d'un syndicat. De plus, les membres d'un syndicat professionnel peuvent se retirer à volonté, quitte à se voir réclamer la cotisation afférente aux trois mois (maximum) qui suivent le retrait d'adhésion.

Notons que les membres ne sont pas personnellement responsables des dettes du syndicat.

D'après les articles 3 et 10 du Code du travail, tout salarié et tout employeur ont le droit d'appartenir respectivement à une association de salariés et d'employeurs.

Aucun employeur ne peut chercher d'aucune manière à dominer, entraver ou financer la formation ou les activités d'une association de salariés, ni à y participer. De plus, l'employeur doit respecter la liberté d'association de ses salariés, et, par conséquent, aucune mesure ne peut être prise par l'employeur à cause des activités syndicales d'un salarié.

De leur côté, les salariés ne peuvent pas se réunir pendant les heures de travail. Cependant, une réunion des membres d'un syndicat peut être tenue au lieu du travail à condition qu'il soit accrédité et avec le consentement de l'employeur.

FONCTIONNEMENT DU SYNDICAT

Accréditation du syndicat. L'article 20 du Code du travail reconnaît le droit à l'accréditation à toute association de salariés groupant la majorité absolue (la moitié plus un) des salariés d'un employeur.

La demande d'accréditation se fait sous forme de requête adressée au commissaire-enquêteur en chef. Cette requête doit :
— être autorisée par une résolution de l'association (syndicat);
— être signée par les représentants mandatés de l'association; et
— indiquer le groupe qu'elle veut représenter (e.g. dans le cas d'une commission scolaire, préciser s'il s'agit du groupe des professeurs, des directeurs d'école, des techniciens de laboratoire, des concierges, etc.).

L'association doit transmettre une copie de cette requête à l'employeur, lequel, dans les cinq jours de sa réception, doit afficher, dans un endroit bien en vue, la liste complète des salariés de l'entreprise visés par la requête. Copie de cette liste doit ensuite être transmise à l'association requérante.

La requête doit être accompagnée d'une copie certifiée de la constitution et des règlements de l'association ainsi que d'un état des conditions d'admission, droits d'entrée et cotisations exigées de ses membres (art. 23 C.T.).

Le commissaire-enquêteur s'assure du caractère représentatif de l'association et de son droit à l'accréditation, avant de rendre sa décision d'accorder ou de refuser l'accréditation. En cas de refus, la requête ne pourra être renouvelée avant trois mois de son rejet, à moins qu'un appel n'ait été interjeté devant le tribunal du travail.

Négociation d'une convention collective. Une fois accrédité, l'association ou syndicat donne à l'employeur, ou vice versa, un avis écrit, d'au moins huit jours, de la date, de l'heure et du lieu où ses représentants seront prêts à rencontrer l'autre partie ou ses représentants pour la conclusion d'une convention collective.

Dans le cas d'une convention collective existante, l'avis doit être donné dans les soixante jours précédant son expiration, à moins qu'un autre délai n'y ait été prévu.

À la date prévue, les négociations doivent commencer et se poursuivre avec diligence et bonne foi. Si elles se sont poursuivies sans succès pendant trente jours, ou si l'une des parties ne croit pas qu'elles puissent être conclues dans un délai raisonnable, chaque partie peut en donner avis au ministre dont copie à l'autre partie. La date de la réception de cet avis par le ministre du Travail est très importante comme nous le verrons plus bas en étudiant la grève et le lock-out.

La conciliation. Le ministre du Travail, à la réception de l'avis du syndicat ou de l'employeur, nomme un conciliateur qu'il charge de rencontrer les parties et de tenter d'établir une entente. Les parties sont dans l'obligation d'assister à toutes les réunions convoquées par le conciliateur.

Le conciliateur fait ensuite un rapport au ministre, dans les trente jours de sa nomination. Ce délai peut toutefois être étendu, de l'accord écrit des parties.

En cas d'échec de la conciliation, les parties ont le choix entre recourir à la grève (pour les travailleurs) ou au lock-out (pour les employeurs) et soumettre leur différend à un conseil d'arbitrage.

L'arbitrage. La différence entre la conciliation et l'arbitrage c'est que la conciliation peut échouer mais non pas l'arbitrage. En effet, une fois rendue, la décision arbitrale lie irrévocablement les parties.

Pour qu'il y ait arbitrage, il faut qu'une demande en ce sens soit adressée au ministre du Travail *par les parties.* Pas d'arbitrage donc à moins d'accord des parties, à moins que l'arbitrage n'ait été prévu dans la convention collective.

La grève et le lock-out. Nous avons vu qu'en cas d'échec de la conciliation les parties en litige ont le choix entre la grève ou le lock-out et l'arbitrage.

Supposons maintenant qu'il n'y ait pas accord entre les parties pour soumettre le différend à l'arbitrage. Il reste le droit à la grève ou au lock-out. Ce droit est acquis 60 jours (ou, s'il s'agit d'une première convention collective, 90 jours) après la réception par le ministre de l'avis mentionné plus haut.

La grève est la cessation concertée du travail par un groupe de salariés.

Le lock-out est le refus par un employeur de fournir du travail à un groupe de ses employés salariés, en vue de les contraindre à accepter certaines conditions de travail ou de contraindre pareillement des salariés d'un autre employeur.

On comprend bien que tant la grève que le lock-out sont des moyens de pression exercés pour forcer la main à l'autre partie.

Collection Échos du Québec

Tour du Québec, *G. R. McConnell, M.A.*

Voici le Québec, *G. R. McConnell, M.A.*

Salut Québec! *G. R. McConnell, M.A., G. Taggart, Ph.D., Y. Bouchereau, M.A., L. A. Bégin*

Vie du Québec, *G. R. McConnell, M.A., G. Taggart, Ph.D., Y. Bouchereau, M.A., L. A. Bégin*

Collection Lectures françaises

annotée par G. R. McConnell, M. A.

La Civilisation, Ma Mère! ..., *Driss Chraïbi*

Nouvelles contemporaines, *Daniel Boulanger et Félicien Marceau*

Québec Raconte..., *Charles Soucy, Yves Thériault, Éloi de Grandmont, Gérard Bessette, Robert de Roquebrune, Armand Faille*

OUVRAGES DE SCIENCE

Biologie 412-422, *(relié) G. Llull (en coédition avec Guérin, éditeur)*

Les Grands thèmes de l'écologie, *G. Llull et N. Chartrand*

OUVRAGES GÉNÉRAUX

L'Avortement, *textes colligés par Gilbert Tarrab*

Mythes et symboles en dynamique de groupe, *G. Tarrab*

La Gestion et la prise de décision, *Joseph Kélada, ing., M.B.A.*

Mieux voir – la vision, les lunettes, les verres de contact, *Michel Millodot, O.D., M.Sc., Ph.D.*

ESSAIS, ART, POÉSIE

La Sculpture de Suzanne Guité, *(relié) En collaboration*

Vertiges, *(Poèmes) Luc Bégin*

L'Orchidée-Sœur, *(Poèmes) Gaston Laurion*

Le Firmament trop cru, *(Poèmes) Luc Bégin*

Collection Figures du Québec

Le Défi d'Albert Laberge, *Gabrielle Pascal, Ph.D.*

L'Univers romanesque de Jacques Godbout, *André Smith, Ph.D.*

La Quête de l'identité chez André Langevin, *Gabrielle Pascal, Ph.D.*

Achevé d'imprimer en avril 1977 pour les Éditions Aquila Limitée
sur les presses des Ateliers des Sourds (Montréal) Inc.,
Montréal, Québec